Bianca

Trampa para una mujer

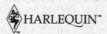
HARLEQUIN

Editado por HARLEQUIN IBÉRICA, S.A.
Núñez de Balboa, 56
28001 Madrid

I.S.B.N.: 978-84-671-7941-5
Depósito legal: B-12524-2010
Editor responsable: Luis Pugni
Preimpresión y fotomecánica: M.T. Color & Diseño, S.L.
C/ Colquide, 6 portal 2 - 3º H. 28230 Las Rozas (Madrid)
Impresión y encuadernación: LITOGRAFÍA ROSÉS, S.A.
C/ Energía, 11. 08850 Gavá (Barcelona)
Fecha impresion para Argentina: 8.11.10
Distribuidor exclusivo para España: LOGISTA
Distribuidor para México: CODIPLYRSA
Distribuidores para Argentina: interior, BERTRAN, S.A.C. Vélez
Sársfield, 1950. Cap. Fed./ Buenos Aires y Gran Buenos Aires,
VACCARO SÁNCHEZ y Cía, S.A.
Distribuidor para Chile: DISTRIBUIDORA ALFA, S.A.

Capítulo 1

KAIN Gerard miró a su tía con afecto y desesperación.

—¡Otra vez no!

—¡No es culpa de Brent! —repuso, molesta—. Él
sólo…

—Es un idiota en lo que a mujeres se refiere —dijo
Kain en tono seco—. Se enamora al instante de las mujeres más inadecuadas, las cubre de regalos, les pro-
mete amor eterno y, luego, cuando despierta a la mañana siguiente, descubre que no tiene nada en común
con ellas. No, peor que eso, ella no tiene ni idea de
ordenadores, por lo que no puede ni mantener una
conversación. Así que cuando la deja, ella acude, do-
lida y llorosa, a la prensa para sacar provecho.

—Sólo se deja llevar —protestó la madre de Brent
débilmente—. No sabe lo que quiere.

Kain arqueó una ceja. Pechos grandes, largas piernas y sonrisas bobaliconas: eso era lo que su primo
quería.

—Yo creo que sabe muy bien lo que quiere —dijo en
tono cortante—. Pero, ¿por qué te preocupas esta vez?

—Kain, tú mejor que nadie deberías saber que recibió
una importante cantidad por su compañía de Internet.
Más de veinte millones de dólares —dijo Amanda Gerard y se quedó pensativa unos instantes antes de conti-

nuar–. Ella no es su tipo. Para empezar, es mayor que él y no es modelo ni presentadora.

–Así que piensas que va tras su dinero –dijo Kain frunciendo el ceño.

–Brent tiene fama por su estúpida generosidad –dijo su madre.

–¿Qué pruebas tienes de que sea una cazafortunas?

No era la primera vez que Amanda Gerard reparaba en que su sobrino Kain era un hombre muy atractivo: medía más de un metro ochenta, tenía hombros anchos y una vitalidad capaz de detener la respiración de una mujer. Tenía también unos rasgos perfectos, una boca, sensual, y los ojos, grises, en contraste con su piel aceitunada y su pelo moreno.s

–Mira –dijo Amanda sacando una foto y enseñándosela.

–Desde luego que es diferente a las habituales conquistas de Brent. ¿Quién es?

–Sarah Jane Martin. Es al menos cinco años mayor que Brent y observarás que no está colgada de él ni mirándolo provocativamente a los ojos –señaló Amanda y añadió–. Habla de ella de manera diferente.

–Entonces, ¿cuál es el problema?

Kain tenía mucho cariño a su tía, que le había criado desde que sus padres murieran, pero detestaba el amor incondicional y protector hacia su único hijo.

Pero no podía olvidar que su primo Brent era muy caprichoso. Su agradable físico, por no mencionar su situación económica, provocaba que la mayoría de las mujeres cayeran rendidas a sus pies. Y debido a que nunca había tenido que esforzarse por conseguir la atención de una mujer, debía de sentirse intrigado por el aspecto misterioso de la de la fotografía.

–Quizá esta vez haya dado con una mujer normal, una con la que pueda mantener una conversación –dijo algo impaciente.

–¿Te parece normal alguien cuyo padre era el borracho del pueblo?

–Eso no es culpa suya.

–Lo sé –dijo ella sonriendo–, pero es posible que eso le haya creado problemas a ella.

–¿Cómo sabes que su padre es alcohólico?

–Lo era. Ya está muerto. Ella es de Hawkes Bay, una pequeña ciudad cercana a la de Blossom McFarlane, así que llamé a Bloss y le pregunté si conocía a la chica.

Kain contuvo la risa. La red de amigas del colegio de su tía era conocida cariñosamente en la familia como la mafia de Amanda.

–¿Y qué te contó Blossom McFarlane de ella?

Su tía lo miró con suspicacia.

–Bloss sabía de quién se trataba. Me dijo que siempre sintió lástima de ella, aunque admiraba su lealtad hacia su padre. Después de que muriera, trabajó unos meses para un viejo abogado, pero hubo un escándalo –dijo e hizo una pausa antes de continuar–. Bloss me contó que todo el asunto se llevó en secreto, pero que parece que hubo algún robo.

A Kain no le gustó aquello.

–¿Acusaron a Sara Martin?

–Sí. De todas formas, no recibió el castigo que se merecía. Nunca se hizo nada, pero cayó en desgracia y desapareció de la ciudad.

Kain miró a la mujer que estaba en la fotografía junto a Brent y reparó en su enigmática sonrisa. A diferencia de las novias anteriores de su primo, Sara Jane Martin no destilaba sexualidad, pero Kain advertía su atractivo. Aquel aspecto frío era un desafío. Eso, combinado con su esbelta figura y una boca que prometía placeres carnales, debía tener a Brent embelesado.

—Brent ya se ha gastado más de treinta mil dólares con ella —dijo Amanda con desagrado.

—¿Le ha comprado un coche?

Ella hizo una pausa y se decidió a contárselo.

—Un anillo de diamantes.

—¿Te lo ha contado él?

—Claro que no. Debió de comprárselo antes de mudarse a ese ridículo ático, porque los documentos de autenticidad llegaron a mi casa.

—¿Abriste el sobre? —preguntó Kain sorprendido.

—Ni siquiera miré la dirección —contestó indignada—. Bueno, no hasta que me levanté del suelo.

—Entonces, ¿qué es lo que quieres que haga?

—Pensé que podrías pedirle a alguien de tu equipo de seguridad que investigue a la tal Sara.

—Pago a mis hombres para que cuiden de mis negocios, no de mis asuntos personales.

—Lo sé, pero en este caso…

Kain sonrió con ironía.

—Les pediré que hagan algunas comprobaciones. Como empresario, no me agradan los hurtos.

—Pensé que podrías tenderle una trampa —añadió su tía.

—No hay nada más cruel que una madre entregada —dijo Kain con ironía—. Debes de estar muy preocupada si estás dispuesta a sacrificar los sentimientos de Brent, así como mi tiempo, mi reputación y su opinión sobre mí.

Apreciaba a su primo y si esa Sara Martin resultaba ser una ladrona, estaba dispuesto a hacer lo que fuera para proteger a Brent de cualquier lío. Si había algo que Kain había prendido en la vida, era que todo, incluso el afecto de su primo, tenía un precio.

–Ya te diré algo.

No se quedaba satisfecha, pero sabía cuándo dejar de insistir. Kain le había dado su palabra y eso significaba que lo haría. Si había algo sospechoso en el pasado de Sara Jane Martin, pronto lo sabría.

Kain miró entre las cabezas de la multitud, entrecerrando los ojos. El carnaval prenavideño de Auckland estaba muy animado. El verano ya había llegado a Nueva Zelanda y, al igual que los caballos purasangre, había desfilando mujeres elegantes con ropas exquisitas en busca de un buen premio.

La mirada de Kain se posó en una mujer vestida con un bonito y sencillo vestido de color gris que contrastaba con su piel pálida y su pelo negro, semioculto por un atrevido sombrero. Los zapatos de tacón alto acentuaban sus largas piernas y la seda dejaba adivinar una cintura estrecha y unas curvas sensuales, sin resultar excesivas. La única nota de color era el intenso color rojo de sus labios, que acentuaba su boca seductora. Definitivamente, no era el tipo habitual de Brent.

–Aquélla es la apuesta de Maire Faris –dijo una voz femenina a su espalda–. Es muy buena, pero no ganará.

–Demasiado discreta –convino su acompañante–. Los jueces siempre se inclinan por plumas y tul y mucho glamour en estos eventos. ¿Quién es la modelo?

Kain no pudo resistirse a la tentación de escuchar. A pesar de que estaban a unos metros de él, podía oír las voces de las mujeres perfectamente.

–Es la secretaria de Mark Russell. Ya sabes, de la fundación Russell.

–Tiene un aspecto demasiado antiguo para una fundación tan reputada. Bueno, la palabra que mejor la definiría sería «estirada».

La mujer tenía razón: Sara Jane Martin no tenía aspecto de dedicarse a tratar con los pobres y necesitados.

–Bueno –dijo la otra mujer riendo–, imagino que incluso a alguien tan filántropo como Mark Russell le gustará tener algo agradable que mirar en la oficina.

Tenía razón, pensó Kain con ironía. Entornó los ojos y observó a la mujer de la que estaban hablando. El atuendo recatado no ocultaba su exótica sensualidad, haciendo que el resto de mujeres del estrado se difuminara con el entorno.

Kain apretó los labios. Esa vez Brent tenía serios problemas. Su equipo de seguridad había dado con un escándalo muy desagradable. Como la mayoría de los escándalos de empresa había sido ocultado, pero Sara Jane Martin estaba metida hasta el cuello. El chantaje era un delito despreciable, sobre todo en aquel caso en el que un hombre se había suicidado a causa de ello.

Alguien tenía que sacar a Sara Jane Martin fuera de la vida de su fácilmente impresionable primo antes de que pusiera sus manos en el dinero y le rompiera el corazón.

Hacer volver al redil a su primo había sido relativamente sencillo. Kain había tirado de algunos hilos para ofrecerle el viaje de su vida en un bergantín, recreando el viaje de un descubridor del siglo XIX.

Si las cosas se ponían feas, Kain sabía que la relación con su primo se tornaría tensa. Aun así, prefería unos meses de tensión entre ellos a que Brent perdiera el dinero que había ganado en los últimos años gracias a su trabajo y su inteligencia.

–No se le escapa una –aseguró la segunda mujer–. Pero es muy discreta. Es la amante perfecta –añadió y ambas mujeres rieron–. ¿Ya le ha echado el lazo a alguien?

–Por supuesto que sí. Se ha mudado a vivir con el joven Brent Gerard.

Kain se quedó rígido. Aquello no lo sabía. Debía de haber ocurrido justo después de que Brent se fuera.

–¿Brent Gerard? ¿No es…? Ah, sí, ya recuerdo. Es ese muchacho que creó una compañía en Internet y que acaba de venderla por un montón de millones a una compañía extranjera.

–Sí, ese es. El primo de Kain Gerard.

–Esa chica ha dado un buen paso, pero ¿por qué no apunta más alto? Kain no tiene compromiso y tiene mucho dinero.

Buen razonamiento, pensó Kain con desagrado. Quizá se lo propusiera a Sara Jane Martin. El siguiente comentario de la mujer provocó que sus mejillas se ruborizaran.

–Además, parece un dios –dijo en tono sexy–. Me encantan los hombres altos, sobre todo cuando tienen la piel y el pelo morenos. Además tiene una mirada muy sugerente.

–Imagino que querrá asegurarse al millonario antes que optar a un multimillonario que tiene en el aire –dijo la otra mujer sonriendo con malicia–. Brent es fácil de engatusar, al contrario que su primo, que es harina de otro costal.

–¡Mira! Ahí está Trina Porteous haciéndonos señas.

Kain observó cómo la nueva conquista de Brent caminaba por la plataforma para tomar asiento junto a las demás participantes en el concurso para elegir a la mejor vestida. La información que había descubierto su equipo de seguridad la haría sentir muy incómoda y no dudaba en usarla.

Sara sintió que el vello de la nuca se le erizaba anunciando peligro. Su mano se aferró a su bolso gris y su estómago se encogió en un nudo. Por unos segundos, su sonrisa tembló y respiró hondo para recuperar la normalidad.

Hasta que se encontró con una fría mirada escrutadora que provocó que su pulso se acelerara. Kain Gerard, el primo de Brent. Él parecía saber quién era ella. Una sensación de vacío se expandió bajo sus costillas.

Los aplausos del público la sobresaltaron y enseguida reparó en que una concursante había salido al frente del estrado. Aliviada, se unió a los aplausos.

Pero aquella mirada intimidatoria siguió puesta en ella. Su respiración se volvió pesada. Incómoda por ser el centro de atención de Kain Gerard, alzó la barbilla en un gesto desafiante. El primo de Brent podía seguir intimidándola, pero no iba a permitir que la asustara.

Aquella fría mirada la inquietaba tanto, que tuvo que esforzarse en controlar la tensión hasta que la última concursante salió al estrado, una preciosa rubia de diecinueve años destinada a ganar.

Cuando lo hizo, aceptó el premio con tanta alegría que el ambiente festivo se animó.

–Bueno, hemos hecho lo que hemos podido –dijo Maire, la mujer que había diseñado el vestido de Sara, una vez la multitud comenzó a volver a sus sitios para ver la última carrera.

Sara sonrió.

–Siento no haber hecho justicia a tu vestido.

–Querida, lo has lucido muy bien. Aquí lo que buscan son chicas jóvenes e inocentes para dar la bienvenida al verano. Tú eres muy sofisticada. La clase de mujer en la que yo pienso cuando diseño. No esperaba ganar, pero haber llegado a la final me dará una buena publicidad.

De pronto, giró la cabeza hacia alguien que llegaba por detrás de Sara.

–Hola, Kain –dijo con una nota de alegría en su voz–. No sabía que hubieras vuelto de donde fuera que has estado estos últimos meses. Imagino que tienes un caballo participando en la carrera, ¿verdad?

–Así es.

Fría y profunda, su voz desprendía una autoridad que hizo que Sara se estremeciese, así que enderezó la espalda y trató de mostrarse tranquila.

–¿Y va a ganar? –preguntó Maire.

–Claro –contestó él con tanta calma, que Sara se preguntó si habría apañado la carrera.

–¿Cómo se llama? Iré a hacer una apuesta antes de que se cierren.

–Sultán Negro.

–Muy apropiado –repuso Maire.

–No nos has presentado, Maire.

La mujer se sorprendió.

–Oh, lo siento, pensé que se ya os conocíais.

De mala gana, Sara se dio la vuelta. Sus ojos oscuros se encontraron con los grises de él. Embargada por una extraña sensación de aprensión, respiró hondo. Había visto fotos del primo de Brent y durante los últimos minutos había sido consciente de su incómoda mirada, pero nada de eso la había preparado para el potente impacto de su masculinidad.

–Sara, él es Kain Gerard. Estoy segura de que no necesito contarte nada de él. Sale en la prensa muy a menudo.

–No porque me yo quiera –dijo.

–Nadie dice que seas un reclamo publicitario –añadió la mujer–. Kain, te presento a Sara Martin, quien debería haber ganado el premio.

–Desde luego que sí.

La voz de Kain le produjo una sensación desconocida. Enseguida estrechó la mano que le ofrecía y apretó sus dedos entre los suyos.

–¿Tenéis previsto ver la siguiente carrera? –añadió Kain.

–Claro que sí –contestó Maire antes de que Sara pudiera poner alguna excusa–. Pero antes voy a hacer una apuesta por tu caballo –añadió y se giró hacia la caseta de apuestas.

–¿No vas a apostar? –preguntó Kain al ver que Sara no la seguía.

–No.

–Déjame decirte que, salvo que haya algún accidente, mi caballo va a ganar.

–Gracias por la información –repuso, consciente de las miradas que estaban atrayendo–. ¿Y tú? ¿No vas a apostar por tu caballo?

–Ya lo he hecho –dijo, esbozando una arrebatadora sonrisa–. Aunque, como es el favorito, no se pagará mucho –y sin cambiar el tono, añadió–. Creo que eres amiga de mi primo, Brent Gerard, ¿no?

–Sí.

Brent le había hablado de su primo mayor y Sara había adivinado en sus palabras que su admiración incluía cierto fastidio. De pie junto a aquel hombre, con cada célula de su cuerpo agitándose, Sara entendía la reacción de Brent. Hacía falta tener mucha seguridad en uno mismo para afrontar a un competidor tan formidable. Kain se había convertido en multimillonario antes de cumplir los treinta.

–Sus padres le dejaron el control de una de las compañías más importantes de Nueva Zelanda, además de una considerable herencia con la que echar a andar en el mundo de los negocios –le había contado Brent con cierta envidia–. Pero el verdadero secreto de su éxito es su empuje y su brillante inteligencia, además de tener maña para saber reconocer las buenas oportunidades –y después de hacer una pausa, había añadido–. Por no olvidar su crueldad. No es un hombre con el que cruzarse.

Deseando haberse marchado con Maire, Sara simuló estar observando a la gente. La intuición le decía que Brent tenía razón. Le imponía la presencia de Kain Gerard al igual que lo hacía su altura, sus hombros anchos y su atractivo rostro arrogante.

Con razón tenía éxito entre las mujeres. Brent no le había hablado de esa faceta de su primo, pero Sara había leído algunos interesantes cotilleos.

Ahora se los creía todos. «Arrollador» era la única palabra que se le venía a la mente. Y aunque parecía agradable, su mirada transmitía una frialdad calculada.

Sintiendo un escalofrío, Sara levantó la mirada para ver si una nube había cubierto el sol. No, el sol seguía brillando como llevaba haciéndolo todo el día. Se enderezó y se encontró con la mirada escrutadora de Kain.

–¿Adivino que eres modelo?

Si Brent le había hablado de ella, Kain debía de saber muy bien que no era así.

–Nada de eso –contestó–. Maire ha abierto una nueva tienda al lado de donde trabajo y, cuando la modelo la dejó plantada, me convenció para que participara en esto –dijo, esbozando una estúpida sonrisa–. En cuanto vuelva, daremos un paseo para que más gente pueda ver su diseño.

–Me quedaré hasta que vuelva –dijo Kain, levantando una ceja.

–No hace falta.

Él sonrió. Algo dentro de Sara saltó en pedazos. Excitada, se las arregló para devolverle la sonrisa y luego apartó la vista. Al ver que Maire regresaba, se alegró.

–¿Por qué no venís las dos a ver la carrera conmigo desde el césped? –preguntó Kain cuando la mujer llegó junto a ellos.

Sara pensó que más que una invitación, aquello era una orden.

–Me sorprende que no la veas desde el palco –dijo Maire.

–Podemos ir allí si quieres, pero pensé que querías aprovechar toda oportunidad para mostrar ese bonito vestido. En la zona del club, no habrá cámaras de televisión.

Su mirada recorrió el vestido, haciendo saltar todas las alarmas de Sara. No había nada insinuante en aquella inspección. Había sido objeto de miradas lascivas en muchas ocasiones y supo reconocer su falta de deseo.

Aun así, se sintió acosada, como si fuera el objetivo de algún plan cuidadosamente trazado. Se convenció de que no debía de ser tonta y los acompañó.

Una vez en el césped, Sara comprendió porque Maire había accedido. Allí donde mirara, los ojos estaban puestos en Kain Gerard y en las dos mujeres a las que estaba acompañando.

–¿Champán para las dos? –les preguntó al cruzarse con un camarero.

Maire aceptó, pero Sara dijo que no.

–Hace calor. Necesitas beber algo –dijo y le pidió al camarero dos copas de champán y una copa del cóctel especial.

Cuando Sara fue a decir que no quería tomar nada con alcohol, vio que sus labios se curvaban y su corazón dio un vuelco. Aquella sonrisa era peligrosa y él conocía los efectos que provocaba en las mujeres. Lo sabía muy bien, pensó Sara mientras sus rodillas pedían un sitio donde sentarse. Lo tenía todo, pero no era su altura ni sus rasgos ni su boca seductora lo que hacían que sus huesos se hubiesen vuelto blandos. Kain irradiaba un aura de poder irresistible que suponía una amenaza.

–No tiene alcohol –le dijo mientras el camarero regresaba con dos copas de champán y un vaso alto con otra bebida–. Es un cóctel de fresa y melocotón.

–Gracias –dijo y descubrió que estaba tan bueno como parecía.

Alguien apareció y saludó a Maire, quien se disculpó para enfrascarse en una animada conversación.

Inquieta por la incómoda tensión, Sara miró hacia la pista mientras los caballos comenzaban a colocarse en la línea de salida.

–¿Cuál es el tuyo? –preguntó para romper el silencio.

–El número trece, el negro –dijo y lo señaló.

–¿Por qué estás tan seguro de que va a ganar?

–Está en su mejor momento y en muy buena forma. Siempre existe la posibilidad de que ocurra un percance, pero debería llegar el primero.

Y así fue. Los gritos proclamaron que su caballo era el favorito de los espectadores, así como en las apuestas. Sara se dejó llevar por el ambiente, aplaudiendo excitada, y se giró hacia Kain cuando la carrera terminó.

—Es fantástico. ¿Cuándo vuelve a correr?

Su corazón dio un vuelvo súbito cuando él la miró y el júbilo de la multitud pareció silenciarse.

Trató de bajar la vista, pero aquella misteriosa mirada gris pareció hipnotizarla. Antes de que pudiera contestar, Kain se vio rodeado de una nube de amigos sonrientes y de periodistas con sus cámaras en ristre.

Aliviada, Sara se apartó un poco, envidiando el aplomo con el que estrechaba las manos de los hombres y repartía besos entre las mujeres. Se sintió sola, apartada de la gente y las risas. El sol se le hizo abrasador y los sonidos de la multitud insoportablemente estridentes.

Dio un sorbo a su bebida y, de repente, sintió que la tomaban de la mano.

—Ven conmigo —dijo Kain—. Voy a dar la enhorabuena al jinete y al entrenador.

Sara trató de soltarse sin éxito.

—Se supone que tengo que estar enseñando este vestido —dijo, bajando la voz.

—Si vas con Kain, vas a salir en todas las fotos —dijo Maire—. Anda, ve.

La mirada indignada de Sara se encontró con sus divertidos ojos grises. Después de unos segundos de duda, se rindió, dejando que la escoltara a través de la gente hasta que el flash de una cámara la asustó.

Kain la sujetó con más fuerza por el codo.

—Muéstrales una sonrisa —le dijo con una nota de cinismo en su voz profunda—. Eso es todo lo que tienes que hacer. Muéstrate elegante y segura. Puedes hacerlo.

Manteniendo la mirada en los caballos, Sara forzó una sonrisa.

–Pues no veas lo que hay que sufrir para estar así de elegante. Estos zapatos son muy incómodos para caminar sobre la hierba.

Kain bajó la mirada y sus ojos brillaron, aunque su tono de voz se mantuvo inalterado.

–Es un placer mirar tus pies, así que el dolor merece la pena.

¿Por qué parecía que aquella conversación se estaba produciendo a dos niveles, uno con palabras y el otro con los tonos, el énfasis y el lenguaje silencioso de los gestos?

Para su alivio, alguien llamó la atención de Kain y se apartó de ella. Sara tenía que reconocer que le resultaba admirable el modo en que trataba a los periodistas y a los fotógrafos. Su encanto no ocultaba firme autoridad.

Al final, la dejó para dar el paseo de honor con el caballo y Sara contempló cómo destacaban sus portes a la luz del sol, cuyos rayos se reflejaban en las crines del caballo y en la cabeza de Kain.

–Son únicos –dijo el entrenador a su lado, como si leyera sus pensamientos.

Sara respiró hondo, tratando de irradiar un aire de sofisticación. Sin la presencia de Kain, trató de recuperar sus fuerzas.

–¿El caballo también tiene los ojos grises? –preguntó, sonriendo para demostrar que estaba bromeando.

El hombre rompió a reír.

–No, pero es muy tenaz y, cuando se le mete algo

en la cabeza, es difícil hacerle cambiar de opinión. Y es sincero. Una vez se entrega a algo, pone todo su corazón.

–¿Qué más se puede pedir de un caballo? ¿O de un hombre? –replicó–. ¿No es un día maravilloso?

Kain y el caballo regresaron mientras el entrenador la miraba sonriente.

–Uno de los mejores –convino, adelantándose para tomar las bridas de la mano de Kain.

–Muy bien, vamos –dijo Kain.

Comenzaron a caminar y de repente, un fotógrafo los detuvo.

–Una más, Kain.

–Claro –dijo girando la cabeza y, antes de que Sara pudiera salirse del encuadre, la atrajo hacia él–. Ésta es para las páginas de sociedad. Relájate y piensa en la publicidad que obtendrá Maire –añadió, sonriéndole mientras la miraba a los ojos.

Perturbada por su cercanía, Sara se puso rígida. Las conversaciones se apagaron y sintió que todos los ojos se posaban en ellos.

–Sonríe –le ordenó en voz baja, con expresión divertida.

–¿Por qué? –preguntó ella, enarcando las cejas.

–Porque si no lo haces, todos los que vean esto van a pensar que estás perdidamente enamorada –dijo y, al ver la expresión de sus ojos, inclinó la cabeza para añadir entre susurros–. Quizá debería besarte.

Capítulo 2

NI se te ocurra –bufó Sara.

Una tormenta de emociones la sacudió. Los ojos gélidos de Kain se entrecerraron y ella se quedó helada, con el corazón desbocado.

La voz del fotógrafo la devolvió a la realidad.

–¡Estupendo! Gracias.

En cuanto el brazo de Kain cayó, Sara se apartó. Tuvo que esforzarse en mostrar una sonrisa, pero no pudo ocultar el calor que ardía en sus mejillas.

¿A qué demonios pensaba Kain Gerard que estaba jugando? ¿Y por qué le causaba aquel desconcierto?

–A Maire le gustará –dijo sin ninguna muestra de emoción.

Para alguien que decía no buscar publicidad, la había estaba consiguiendo con demasiada facilidad, pensó Sara.

–Eres muy amable con ella.

–Era amiga de mi madre y la admiro por su espíritu emprendedor.

Sara sabía muy bien lo importante que era formar parte de un círculo de gente influyente.

Maire se acercó, paseando su perpleja mirada de uno a otro.

–Gracias, Kain. Has estado fantástico. ¿Estás lista para marcharnos, Sara?

–Sí –contestó Sara manteniendo su voz calmada

para disimular su alivio–. Gracias por una experiencia muy interesante –añadió en tono formal, dirigiéndose hacia Kain.

–Ha sido un placer.

Su voz suave y divertida la enfureció.

Kain la siguió con la mirada. No le había ido mal, pensó, aunque quizá no había sido una buena idea amenazarla con besarla ante miles de personas, incluidos los periodistas. Pero había merecido la pena por ver el momento en que había bajado la guardia. Le gustara o no, era evidente que Sara se sentía atraída por él, así que las cosas estaban saliendo a su manera. Él debía suponerle un reto mucho más desafiante que Brent.

Después de cambiarse y ponerse su ropa, Sara rechazó el ofrecimiento de Maire de llevarla y caminó hasta la parada de autobús con sus cómodas sandalias planas. Sus pies se lo agradecían a cada paso. Sonriendo ante aquella idea, se prometió sumergirlos en agua caliente en cuanto llegara a casa.

–Creo que este atuendo me gusta más que el otro –dijo Kain Gerard desde detrás de ella.

Sara se quedó de piedra y su corazón comenzó a latir con fuerza. Kain sonrió, pero sus ojos grises permanecieron entornados. Aquella sonrisa ocultaba algo de lo que ella desconfiaba.

–Es más fresco e inocente –añadió él.

El tono cínico en aquella última palabra la enojó. El color blanco le sentaba bien y aquél era su vestido favorito.

–Ya no se lleva –dijo ella, infundiendo cierto desdén en sus palabras.

–¿El vestido? –preguntó él colocándose a su lado.

Sara consideró seriamente decirle que no quería su

compañía, pero se contuvo. La parada del autobús no era lugar para multimillonarios, así que seguramente se iría enseguida.

–No, la vinculación del blanco con la pureza –puntualizó ella.

Kain la miró divertido. Furiosa consigo misma, Sara simuló observar un coche que se acercaba por la calle. ¡Estúpida! ¿Por qué no había ignorado aquel comentario provocador?

–Quizá sea un anticuado –dijo Kain reflexionando.

Probablemente sus ojos decían más de lo que pretendía, así que se esforzó en sonreír.

–Voy en esta dirección, así que adiós –dijo mostrándose amable e hizo una señal a un autobús.

–¿No vas a ir en el coche de Brent?

–No –respondió, sintiendo una presión en el pecho.

Había sido un error mudarse al apartamento de Brent. Pero su ofrecimiento de un lugar donde quedarse mientras encontraba un nuevo apartamento había sido una tabla de salvación. Aun así, no había tardado mucho en darse cuenta de que él se lo había tomado como un paso más en una relación que ella pretendía mantener en una amistad.

Tenía que encontrar alojamiento antes de que él regresara de sus inesperadas vacaciones.

–Te llevaré en mi coche –dijo Kain sacándola de su pensamientos.

–No, gracias –dijo y se dirigió al autobús.

Kain reparó en los reflejos del sol sobre su pelo negro. Su moño hacía destacar sus finos rasgos y su boca sensual.

Trataba de mostrarse fría. Se lo esperaba. Sería estúpida si dejaba marchar un pretendiente antes de asegurarse el siguiente, uno que era más rico. Sonrió con ironía mientras se dirigía al aparcamiento. Sabía cómo era aquel juego e iba a disfrutar jugándolo.

–Sara, ¿quién es ese? Dios mío, es muy guapo.

–Espera un momento –dijo Sara sin apartar los ojos de la pantalla.

La hija del jefe solía enamorarse de un hombre nuevo cada dos días.

–¡Viene hacia aquí!

–Bueno, ésta es la recepción.

–Oh, oh. Ya sé quién es –dijo Poppy bajando la voz.

Las palabras desaparecieron de su boca cuando levantó la vista y vio a Kain Gerard acercándose a ella, tremendamente atractivo con un elegante traje.

–Sara –dijo con una devastadora sonrisa–. ¿Cómo estás?

–Hola, Kain –se apresuró a responder–. ¿En qué puedo ayudarte?

–Quisiera que me enseñaras las pinturas que saldrán a subasta para recaudar fondos.

La fundación Russell celebraba todos los años una subasta de arte y Sara siempre se ofrecía voluntaria para organizar el evento. Esa vez iba a celebrarse en el salón de una enorme mansión moderna, el lugar perfecto para mostrar los cuadros y las esculturas vanguardistas que aguardaban en el almacén de la fundación.

Aunque las pinturas y las esculturas no estaban todavía en exposición, Kain Gerard sabía, al igual que Sara, que nadie se negaría a enseñárselas. El dinero mandaba, pensó Sara para su disgusto.

–Sí, claro –respondió.

Con el corazón latiendo desbocado, apagó el orde-
nador y se acercó a él. Se alegró de haberse puesto
aquel vestido rojo que daba color a su piel pálida y
contrastaba con sus ojos oscuros, haciendo que fuera
difícil leer en ellos. Kain la incomodaba de tal manera, que no podía controlarse. Cada una de sus células
parecía alterarse ante su presencia, como si su roce le
hubiera dejado una huella de por vida. Aquella ridícu-
la reacción desmesurada la asustaba.

–Ven por aquí –dijo modulando su voz, confiando
en que no se diera cuenta de su nerviosismo.

En silencio, fue contemplando la exposición con
rostro impasible. Los artistas que habían sido elegidos
por el comité destacaban por su tendencia posmoder-
na.

Sara trató de controlar su expresión. Por alguna
razón, pensaba que a Kain no le gustarían, a menos
que estuviera pensando en hacer una inversión. No
había razón para que a uno le gustaran sus inversio-
nes.

–¿Qué te parecen? –preguntó, sorprendiéndola.

–Mi opinión no vale nada –contestó, eludiendo la
respuesta.

–No te gustan.

¿Cómo se había dado cuenta?

–No sé nada de este tipo de arte, así que mi opinión no cuenta –dijo incómoda–. Puedo pedirle a un
experto que…

–No –dijo deteniéndola, tanto con la palabra como
con su mirada.

Durante la siguiente media hora continuó contemplando los cuadros, apartándose en algunas ocasiones
y acercándose en otras para estudiarlos mejor. Sara se

preguntó qué estaría pasando detrás de aquel atractivo rostro.

–Dime de verdad qué te parecen –dijo él por fin.

–Los únicos comentarios que puedo hacer son repeticiones de lo que he escuchado –respondió ella, desesperada por su insistencia.

–No es eso lo que quiero. Quiero saber tu opinión. Tienes que tener una idea. ¿Acaso no era tu padre el pintor Angus Martin? El Museo de Pintura tiene algunos de sus cuadros y una formidable acuarela.

–Éste no era su estilo –respondió, sorprendida de que conociera a su padre.

–Pero alguna vez le oirías hablar de arte.

Sí, claro, en conversaciones interminables que desembocaban en comentarios lastimeros acerca de que había perdido su destreza y de que ya no conservaba el talento que una vez tuvo.

–No entiendo las interpretaciones de los pintores ni sus intenciones y tampoco sé lo suficiente sobre arte para distinguir sus técnicas.

–¿Por qué te enfadas?

«Tú me haces enfadarme», pensó enojada con él y consigo misma por dejar que la afectara tanto.

–Porque siento como si me estuviera perdiendo algo, algún secreto que los demás entienden –respondió, encogiéndose de hombros.

Kain se quedó mirándola unos segundos que se hicieron interminables.

–Tiene sentido. ¿Has visto nuestra foto en los periódicos?

Había tenido especial cuidado en no leer las páginas de sociedad.

–No, no la he visto.

–Una lástima. Me temo que no le reportará demasiada publicidad a Maire Faris. Apenas se ve el vestido. Aun así, al menos mencionan su nombre.

Algo en su tono de voz la incomodaba.

–Me alegro –dijo con fría formalidad.

Él fijó la mirada en un lienzo que para Sara parecía una representación de un mal dolor de cabeza.

–¿Has sabido algo de Brent últimamente?

–No.

Ella contempló su perfil, fuerte e imponente y sintió un vuelco en el estómago, pero lo ignoró y mantuvo la compostura.

–Gracias por enseñarme las obras –dijo Kain, esbozando una de sus arrebatadoras sonrisas.

–Espero que te veamos en la subasta –dijo ella.

Sabía que había sido invitado, pero tendría que ver si había confirmado su asistencia.

–Seguramente.

Su completa ignorancia probablemente había echado a perder una buena venta, pensó resignada y lo acompañó hasta la zona de la recepción para despedirlo. Poppy levantó la mirada y él le dirigió una sonrisa amable y considerada, nada que ver con la hostilidad que parecía adivinarse en su actitud hacia ella.

Después, Sara tuvo que aguantar los comentarios y suspiros de la joven y sintió alivio cuando llegó la hora de comer. Aunque, entonces, tuvo que soportar las advertencias de Maire durante la comida.

–Kain no es como su primo. Brent es muy agradable, y evidentemente muy brillante a la vista de los negocios que ha montado, pero no tiene el carisma de Kain.

–No –convino Sara.

Llevaba viviendo sola desde los diecisiete años y la única influencia femenina en su vida había sido la de la señora Popham, la vecina de su padre, una mujer madura cuya práctica visión de las cosas había dejado poco lugar a confidencias.

«No sigas por ahí y concéntrate en lo que está diciendo Maire», se dijo.

–No te preocupes, no voy a enamorarme de ninguno de ellos.

–No siempre es así de sencillo –le dijo la diseñadora–, sobre todo teniendo en cuenta que estás viviendo con Brent.

–No, sólo estoy viviendo en su apartamento hasta que encuentre uno –dijo y, dado que lo consideraba importante, añadió–. No somos amantes, ni siquiera candidatos a serlo.

Maire, incrédula, enarcó las cejas.

–Pero si es más joven que yo –añadió Sara–. ¡Y ni siquiera nos hemos dado un beso!

–Él lo está deseando –comentó Maire.

–No va a pasar y él lo sabe.

–Entonces, ¿por qué te fuiste a vivir con él?

Sara le contó brevemente cómo un fin de semana en el que ella no estaba, su anterior compañero de piso había dado una fiesta salvaje que había acabado con importantes destrozos. Había tenido que dejar el apartamento y hacer frente al pago de los arreglos, puesto que el contrato estaba a su nombre, lo que había vaciado los ahorros en su cuenta bancaria, dejándola con una inmensa sensación de vulnerabilidad. Por suerte, Brent le había ofrecido alojamiento hasta que encontrara un nuevo apartamento.

–Respecto a Kain –añadió Sara para zanjar el asunto–, no es la clase de hombre con la que me siento cómoda. Me parece que es demasiado arrollador.

–Debes de ser la única mujer de Nueva Zelanda

que piensa eso –dijo Maire y suspiró mientras untaba mantequilla en el pan–. De acuerdo, es mi opinión. Si recuerdo algo de mi lejana juventud, es lo inoportuno que puede ser un consejo.

–No pretendía ser cortante.

–No, no lo has sido –dijo Maire sonriendo–. Era yo la que me estaba entrometiendo. Conozco a Kain desde que era un niño y ya entonces era la persona más autosuficiente que he conocido jamás. Tenía sólo doce años cuando sus padres murieron y dieciocho cuando tuvo que ponerse al frente de los negocios familiares. Tuvo que madurar a toda prisa.

Muy a su pesar, Sara sentía un gran interés.

–Brent y él no parecen tener mucho en común.

–Poco más que genes e inteligencia –rió–. Me habría gustado poner las manos en la joven que estuvo con Brent el año pasado. Tenía un cuerpo estupendo y era muy guapa, pero llevaba una ropa horrible y muy ajustada. Aunque a Brent eso no parecía importarle –dijo con ironía y añadió–. Kain busca clase, inteligencia y sofisticación en sus amantes. Y aunque tiene unos diez años más que su primo, probablemente ha tenido menos amantes que Brent. Son muy diferentes: Brent trata a las mujeres como si comprara en la tienda de la esquina, mientras que Kain elige la ropa más selecta de los mejores diseñadores.

Sara sintió un estremecimiento y decidió dejar de hacer preguntas porque no le interesaba seguir indagando en la vida amorosa de Kain Gerard.

–Durante unos seis meses, la estrella de cine Jacie Dixon y él formaron una atractiva pareja –continuó Maire–. Trataron de llevarlo con discreción, pero acabaron apareciendo en la prensa.

Sara sonrió, confiando en que su sonrisa ocultara

aquella extraña sensación de envidia y consiguió cambiar de tema.

Aquella noche se preguntó por qué Maire había considerado necesario hablar de Kain Gerard.

¿Se habría dado cuenta de las sensaciones que provocaba aquel hombre en ella, de aquella respuesta física que hacía que su adrenalina se disparara?

Probablemente. Maire era astuta y una de las razones de que fuera tan buena diseñadora era su instinto para comprender a la gente. Sonriendo, Sara apartó a Kain Gerard de su cabeza.

Más tarde aquella semana, se preparó para ir al primer acto de la muestra de arte, un evento al que asistirían los artistas, el comité organizador y los patronos de la fundación, además de representantes de las organizaciones que se beneficiarían de la subasta. A la mañana siguiente, los cuadros serían llevados a la mansión de los Brown.

Repasó mentalmente que no se hubiera quedado nada sin hacer, mientras se ponía unos pantalones negros comprados en una tienda de segunda mano especializada en ropa de marca. Hacía dos años que habían estado de moda, pero el corte era atemporal y le sentaban muy bien.

No podía permitirse más ropa hasta que pagara la deuda que tenía con la casera de su anterior apartamento, pensó poniéndose una blusa roja sin cuello que se ajustaba a su cuerpo. Una ristra de pequeños botones de plata iba desde el escote hasta la cintura. Unos pendientes de falso coral y unas botas de tacón alto repetían el color de la blusa y de sus labios.

Poppy y su madre estaban revisando los preparativos cuando llegó. La joven corrió hacia ella.

—¡Estás muy guapa! —dijo estudiando detenidamente su aspecto–. Me gusta mucho cómo te has recogido el pelo. ¿Cómo consigues que te quede tan bien?

–Con fuerza de voluntad –contestó Sara sonriendo–. Llevas un vestido muy bonito. Me encanta el collar.

–Gracias, pero daría lo que fuera por verme tan glamurosa como tú –dijo Poppy sonriendo.

Su madre se acercó y dirigió a Sara una mirada aprobadora.

–Todo parece estar bajo control, Sara. ¿Hay algo más que pueda hacer para ayudar?

–Estate pendiente de la gente y avísame si hay algún problema.

–Mark tiene miedo de que algunos de los artistas beban demasiado y empiecen a discutir –dijo la mujer–. ¿Recuerdas la bronca que se formó el año pasado?

–Estaré atenta, pero me vendrá bien que haya alguien listo para actuar si alguna conversación comienza a irse de las manos. Todo saldrá bien.

Y así fue. Todo el mundo se comportó. Los ricos y demás convocados disfrutaron del evento y, según la noche fue avanzando, un famoso jugador de rugby, miembro de una organización benéfica, dejó estupefactos a todos explicando el simbolismo de una de las pinturas.

–¿Estás aprendiendo algo? –preguntó una voz profunda desde detrás de Sara.

El vello de la nuca se le erizó y Sara respiró hondo, tratando de mantener la compostura. Luego, giró la cabeza y se encontró con los ojos entornados de Kain Gerard. Con la sobria elegancia en blanco y negro del atuendo que llevaba, estaba simplemente impresionante.

Controlando los fuertes latidos de su corazón, Sara hizo frente a su mirada escrutadora.

–Sí –dijo enarcando levemente las cejas.

–No te habrás dejado llevar por los estereotipos, ¿verdad, Sara? –preguntó él.

Había arrastrado las palabras, especialmente al decir su nombre. Aquello hizo que su cuerpo reaccionara, encendiéndose una llama en su interior.

–Eso me temo –respondió ella–. En el futuro, trataré de recordar que los jugadores de rugby pueden ser tan inteligentes como buenos atletas –dijo y al ver que tenía las manos vacías, aprovechó para cambiar de tema–. Permíteme que te consiga algo de beber.

Kain miró a su alrededor. En segundos, un camarero se materializó con una copa de champán, seguido inmediatamente por otro con una bandeja de canapés.

–Bebe champán –le aconsejó Sara–. Y si te gustan los champiñones, te los recomiendo.

–Gracias –dijo él y se las arregló para tomar con habilidad la copa y los champiñones–. ¿Y tú? Tu copa está vacía.

La adicción de su padre había hecho que fuera cautelosa. No solía beber más de una copa de vino.

–No quiero nada, gracias –dijo Sara, esbozando una rápida sonrisa al camarero.

Pero el hombre miró a Kain y se quedó a la espera de que le hiciera un gesto para marcharse. Resignada, no le quedó más remedio que aceptar que cualquier buen camarero reconocería a un macho dominante nada más verlo. Y Kain era sin duda alguna un macho dominante.

–Qué bien que hayas venido –dijo–. ¿Has hablado con Mark Russell?

–He venido a verte a ti.

Sorprendida, lo miró a los ojos. Aunque estaba sonriendo, sus ojos brillantes eran inescrutables.

–¿Para qué?

–¿Quieres que te lo diga en voz alta? –preguntó bajando la voz, manteniendo los ojos clavados en los de ella–. ¿Cuándo podrás marcharte?

Sara sintió un nudo en el estómago.

Muchos de los invitados ya se habían ido, pero otros seguían ocupados charlando.

–No puedo marcharme hasta que todo el mundo se haya ido.

–Estoy seguro de que podemos arreglarlo –dijo él tomándola del codo.

De pronto, Sara se vio arrastrada hasta donde estaba Mark hablando con uno de los artistas.

–Espera –dijo ella, dejando a un lado su natural sumisión–. ¿Qué estás haciendo?

–Dar las gracias y decir adiós –dijo Kain con voz firme y esbozó una sonrisa cómplice–. No te preocupes, mis modales son excelentes –añadió con tranquilidad.

–¿De veras? –preguntó ella asombrada–. Tirar del brazo de una mujer no es de buena educación, según un libro de etiqueta que leí una vez.

Él sonrió. Sara sintió que su estómago daba un vuelco mientras un escalofrío recorría su espalda.

Mark ya los había visto acercándose y su sonrisa se había ensanchado al reparar en Kain. Lo que siguió fue una comedia, pensó Sara, en la que no quería participar.

–Hola, Mark. Estoy a punto de secuestrar a Sara –dijo Kain tranquilamente.

–Creo que no lo entiendes, Kain –intervino Sara–. Soy la organizadora de este evento y no quiero irme hasta que haya acabado.

Los dos hombres intercambiaron miradas.

–Lo has hecho muy bien –intervino Mark raudo–, pero ya se está marchando todo el mundo. No te preocupes, si surge algo, yo me ocuparé. Kain, ¿conoces a Tonia Guthrie?

La pintora, una mujer delgada de mediana edad y rostro enjuto, parecía enfadada por la interrupción, pero al cabo de unos minutos de conversación, Kain se la ganó con su magnetismo irresistible.

–Me alegro de volverte a ver, Kain –dijo Mark–. ¿Contaremos contigo en la subasta?

–No estoy seguro, pero lo intentaré.

–Espero que puedas venir. Buenas noches, Sara. Tómate la mañana libre. Has hecho un buen trabajo y te lo mereces.

–Gracias –dijo Sara.

Se sentía furiosa con Mark por tener la mente puesta en la posibilidad de que Kain comprara uno de los cuadros. Aquel pensamiento se vio confirmado nada más cruzar la puerta.

–Deja de preocuparte, Sara. Tu jefe ha visto una posibilidad de hacer negocio y quiere asegurarse de conseguirlo. Puede que lleve una fundación caritativa, pero al fin y al cabo son negocios y tiene que recaudar dinero para los necesitados.

Salieron fuera al calor de una noche de verano en Auckland.

–Cuéntame qué está pasando –dijo Sara ignorando sus palabras–. ¿Está bien Brent?

–Relájate. Conociendo a Brent, se lo estará pasando muy bien. No sé tú, pero yo llevo nueve horas sin comer. Ven a cenar conmigo.

Justo en aquel momento, su estómago rugió, recordándole que sólo había tomado un puñado de arándanos para comer.

—Eso sospechaba —añadió él sonriendo—. Me di cuenta de que tenías hambre cuando me recomendaste los champiñones. Justo en el edificio en el que vivo hay un magnífico restaurante. Después, te llevaré a casa, o si lo prefieres, te pediré un taxi.

Un puñado de invitados pasó junto a ellos y los miraron curiosos.

Sara dudó, pero luego se dejó llevar. En vez de escuchar a su instinto, decidió que no tenía de qué temer por ir a cenar a un restaurante con él.

—Gracias, tengo hambre.

Su apartamento estaba en un edificio de Art decó que anteriormente había sido un centro comercial. Con vistas al puerto y a la zona de restaurantes, el edificio había sido remodelado con gusto y mucho dinero.

Kain la llevó hasta los ascensores. Posiblemente el restaurante estaba en la última planta y tendría unas bonitas vistas. Sara apreció los detalles del estilo del edificio al llegar al vestíbulo de destino. De pronto, sintió un pellizco de aprensión cuando Kain la tomó del brazo y la condujo hasta un enorme salón perfectamente decorado.

Después de mirar incrédula a su alrededor, su expresión cambió.

—Este es tu apartamento —dijo Sara y se dirigió hacia la puerta.

Él la tomó por el brazo con fuerza, pero sin hacerle daño.

—No seas así. Necesitamos intimidad.

—Puede que tú sí, pero yo no —replicó enojada—. Deja que me vaya ahora mismo.

—No hasta que oigas lo que tengo que decirte.

Capítulo 3

KAIN tomó a Sara de la otra mano, evitando que se cerrara en un puño.

—Estate quieta. No voy a saltar sobre ti.

Su fuerza se intensificó unos instantes. Como si fueran enemigos, mantuvieron la mirada fija el uno en el otro, sin que ninguno de los dos cediera un ápice.

Sara trató de pensar en la manera de marcharse cuanto antes. Pero lo único en lo que podía concentrarse era en la proximidad de Kain. Estaba tan cerca, que podía respirar aquella sexy y embriagadora fragancia suya. Aunque su mirada era fría, había fuego en sus ojos y se estremeció cuando su instinto femenino se dio cuenta de que la deseaba.

Debía sentirse asustada, pero lo cierto era que estaba exultante y tuvo que contener el impulso de dar un paso hacia él. A punto estuvo de apoyar la cabeza en su hombro y de sentir la fuerza de su pecho contra sus pezones sensibles.

—Suéltame —dijo Sara con rotundidad.

Kain la soltó.

—Lo siento —dijo él con cierta brusquedad—. Ha sido imperdonable. No suelo maltratar así a las mujeres.

Intentó mirarlo con desprecio, pero tan sólo consiguió transmitir resentimiento.

–Yo no lo llamaría maltrato –dijo ella a regañadientes.

Kain reparó en que su voz era menos crispada de
lo habitual y supo que el brillo de ansiedad que había
visto en sus ojos misteriosos había sido auténtico. A
cambio, Sara se había dado cuenta de que se había
dejado llevar por su violenta reacción.

La suavidad de la piel de Sara invitaba a ser acari-
ciada por un hombre y sus labios sensuales le hacían
pensar en sábanas revueltas y largas noches de pasión. ¿Qué demonios habría tras aquellos ojos inescrutables? Estaba ante una mujer inteligente, atracti-
vamente vestida de rojo y negro.

Un pensamiento indeseado aumento su irritación.
¿De qué color serían sus labios bajo la pintura que
llevaba?

–Si de veras quieres irte, te pediré un taxi –dijo él,
ignorando el sutil clamor de su cuerpo.

–Vamos, dime de qué va todo esto –dijo Sara.

Se sentía más segura después de haber visto a través de su tiranía intimidatoria.

–Te lo diré, pero me gustaría que te quedaras.
Después de todo, te había invitado a cenar –dijo enarcando las cejas, y sonrió.

Sara parpadeó varias veces para evitar que su cabeza diera vueltas. Aquella malvada sonrisa era como
una afilada espada: Kain sabía perfectamente cómo
desarmar a una mujer.

Si le quedara algo de sentido común, se iría. Pero
un inusual atrevimiento en ella, la hizo permanecer
allí.

–Primero, quiero saber por qué me has traído aquí
–dijo y contuvo la respiración a la espera de su respuesta.

–¿Eres siempre tan desconfiada cuando te invitan a cenar? –preguntó Kain con tono burlón–. Estás pálida y pareces cansada. Pensé que querías comer algo –añadió y se encogió de hombros.

–Siempre estoy pálida. Es mi tono de piel natural.

–¿Cómo tienes los niveles de hierro?

Sara levantó bruscamente la cabeza. ¿Estaba bromeando? Sí, estaba sonriendo.

–Bien, gracias –respondió con frialdad.

–Estupendo. Te traeré un menú para que le eches un vistazo.

Sara se quedó mirando su espalda con el ceño fruncido. Sin esfuerzo alguno, Kain Gerard desplegaba una gran autoridad a su alrededor. Tenía eso que llamaban carisma, la cualidad que hacía que todos se fijaran en él. Lo envidiaba por su confianza innata.

Claro que también su formidable físico llamaba la atención de las mujeres. Ese magnetismo se basaba no sólo en su aspecto, también en su personalidad. Se le veía un hombre muy competente, capaz de enfrentarse a cualquier cosa.

Avergonzada por el curso que estaban tomando sus pensamientos, Sara se levantó y empezó a dirigirse hacia la puerta. Justo en aquel momento, él regresó.

–¿Te retiras, Sara? –preguntó él con sonrisa burlona.

–No –dijo sintiéndose estúpida.

Después de todo, su intuición le decía que no tenía que preocuparse por su integridad física. Su seguridad emocional era otra cosa, aunque estaba convencida de que no podía afectarle una simple cena.

Kain le entregó un menú.

–Elige lo que quieras de cena y cuando acabes, hay algo que quizá quieras ver.

–¿El qué?

Aunque tenía el menú en las manos, se quedó quieta. Él tocó un interruptor y las cortinas se corrieron, descubriendo una terraza. Al instante advirtió el reflejo del agua en una piscina.

–Mira –dijo él señalando algo.

Sara ahogó una exclamación y se acercó hasta quedarse junto a él.

–Es un crucero dejando el puerto –continuó Kain–. Es su última travesía y está rindiendo homenaje a Auckland.

Se quedó sobrecogida ante la visión de aquella mole saliendo del puerto, con todas las luces encendidas como si de un enorme árbol de Navidad se tratara.

–Parece la estampa de un cuento de hadas –dijo con voz de asombro y rápidamente corrigió el tono–. Esta imagen me hace sentir como una niña otra vez.

–¿Cuántos años tienes?

Sara se quedó pensativa unos minutos antes de contestar.

–Veintiséis.

–Seis años menos que yo –dijo y se quedó en silencio unos segundos mientras ambos contemplaban cómo la vieja reliquia se deslizaba sobre las aguas–. Cinco mil años de civilización no nos han hecho cambiar. En el fondo, somos como nuestros antecesores que se reunían en torno al fuego en busca de protección. En todas las sociedades, la luz simboliza seguridad. Y ahora, elige algo del menú mientras te sirvo una bebida, aunque sea algo sin alcohol.

Había algo ambiguo en su tono que la alertó, despertando instintos que hacía tiempo que había olvidado. ¿Sabía de la adicción de su padre?

—Un refresco de limón sería perfecto.

Le sirvió la bebida y se fue al teléfono para encargar la cena.

Sara dejó el vaso en la mesa y miró a su alrededor. Aquel ático no era como el apartamento de Brent, que parecía sacado de una revista de decoración. Era evidente que Kain había participado en la elección de muebles; el lujo comedido y las líneas sobrias iban con él.

Volvió frunciendo el ceño, gesto que se acentuó al ver que tomaba el vaso y lo levantaba a modo de escudo frente a él.

—Ven a la terraza.

¿Cómo había adivinado que fuera se sentiría mejor? Ni siquiera ella misma se había dado cuenta. Rodeada de los sonidos y las luces de una ciudad en ebullición, se sentía capaz de concentrarse en la vegetación y en el cielo estrellado en vez de exclusivamente en él.

Comieron allí fuera y se sorprendió al comprobar lo fácil que era charlar con Kain, a pesar de su fuerte personalidad. Algo alarmada, Sara se percató de que estaba hablando sin pensar y varias veces pensó que estaba contando demasiado.

—¿Qué relación tienes con Brent? —le preguntó Kain mientras tomaban café.

Aquella pregunta le provocó una extraña sensación de traición. La lealtad hacia Brent inspiró su respuesta.

—No tengo ninguna intención de hablar de él a sus espaldas.

—Me temo que vas a tener que hacerlo.

El tono frío y autócrata, totalmente intransigente, la dejó helada.

—¿Por qué? —preguntó Sara, levantando la barbilla.

–Porque, si estáis enamorados, desistiré –dijo Kain tranquilamente.

Atónita, se quedó mirándolo fijamente. Su sonrisa le produjo una extraña sensación, un intenso ardor que hizo que todas sus inhibiciones se derritieran ante el calor que la invadía.

No podía estar refiriéndose a…

–Creo que no entiendo.

Su voz era titubeante y, nada más pronunciar aquellas palabras, se arrepintió de haberlas dicho.

–Es muy simple –dijo él, acomodándose en su silla y mirándola con los ojos entreabiertos –. Te encuentro muy atractiva.

Su franqueza la sorprendió, en la misma medida que la inquietó. No podía leer nada en su rostro aparte de su enigmático sentido del humor. Aun así, sus ojos lo traicionaban. Bajo aquellos párpados había un brillo de deseo.

Un escalofrío involuntario, en parte por miedo y en parte debido a la excitación que sentía, la sacudió. Se quedó pensativa unos instantes, antes de responder desafiante.

–No estoy enamorada de Brent.

La expresión de Kain no se alteró, a excepción de que su mirada se endureció.

–Entonces, ¿por qué está Brent convencido de que está enamorado de ti?

A Sara le caía muy bien Brent, quien parecía más inocente y joven que la edad que tenía. No le resultaba de buen gusto estar hablando de él con su arrogante primo.

–Él sabe lo que siento –afirmó con rotundidad.

–Sospecho que cree que puede hacerte cambiar de opinión.

–Sabe que eso no va a pasar –dijo dubitativa y añadió–. Nunca le he dado una razón por la que crea que estoy interesada en él más que en cualquier otro amigo.

Era todo lo que podía decirle.

–¿Así que mudarte a su apartamento no es señal de que estás dispuesta a permitirle ciertos privilegios?

Su tono de incredulidad hizo que Sara apretara los labios antes de contestar.

–No, tan sólo ha sido cortés conmigo. Tuve que dejar mi apartamento anterior inesperadamente. Tengo pensado irme antes de que regrese y él lo sabe.

Kain estudió su rostro, atravesándola con su gélida y astuta mirada. Sara estaba empezando a sentirse incómoda.

–¿Estás segura?

–Completamente segura.

Después de otra mirada escrutadora, Kain asintió con la cabeza como si hubiera tomado alguna decisión.

–Entonces, creo que lo mejor para afrontar esta situación es que tú y yo nos convirtamos en amantes.

–¿Cómo?

Los sonidos de la ciudad se desvanecieron hasta que lo único que pudo escuchar fueron los latidos de su corazón.

–Relájate –le advirtió, con una irónica sonrisa en los labios–. Hasta donde llegue este romance fingido es decisión tuya. No estoy sugiriendo que nos metamos en la cama de inmediato.

Kain se quedó observando cómo el calor se extendía por su piel. Sara se estaba ruborizando. ¿Asumiría el desafío de dejar a un millonario que tenía seguro para arriesgarse a seducir a un multimillonario?

–Eso es exagerado. Cuando regrese, seguro que habrá conocido a alguien de quién creerá que se ha enamorado.

–¿Y si no es así?

Si Brent se encontraba con que Sara se había convertido en la amante de Kain, eso le haría perder cualquier esperanza que pudiera albergar con respecto a ella.

–No hay necesidad de fingir un romance para convencerlo de que no estoy enamorada de él –contestó ella.

Kain alargó la mano y tomó la suya.

–No tiene por qué ser fingido –dijo e inclinó la cabeza para besarla en la boca.

Fue un gesto reivindicatorio directo y exigente, que atravesó su barrera con demasiada facilidad. Más tarde al recordarlo, Sara culpó de la reacción a sus hormonas, pero en aquel momento no pudo pensar ni hacer nada más que rendirse.

Cuando la soltó, deslizó las manos por sus brazos y la sujetó hasta que las rodillas pudieron sujetarla.

–Eso no ha sido fingido –dijo él con voz firme–. Admítelo Sara, me deseas tanto como yo a ti.

Sara se apartó de él. Sus pensamientos giraban inconexos en su cabeza. Se sentía aturdida, consciente de la humillante frustración la embargaba.

Nunca antes se había sentido así. Siempre había mantenido la distancia con los hombres y había avanzado sola en la vida, ignorando a sus hormonas. ¡Qué equivocada había estado!

–Puede que te creas con el derecho de interferir en la vida de tu primo –dijo, arreglándoselas para articular las palabras con claridad y sin ninguna emoción en su voz–, pero no tienes ningún derecho a intervenir en la mía.

–De acuerdo –respondió él con tranquilidad–. Pero en este caso, la vida de Brent y la tuya están entrelazadas. Y por tu reacción, he confirmado que dices la verdad cuando afirmas no estar enamorada de él. Pero, ¿por qué te mudaste a vivir con él?

Furiosa, se dio media vuelta. Lo cual fue un error. Su mirada implacable hizo que sintiera algo demasiado parecido al pánico y no pudo pensar con claridad.

–Ya te lo he dicho –dijo en un intento desesperado de mantener la calma–. Cuando tuve que dejar mi anterior apartamento, Brent me ofreció el suyo.

–Creo que puedo ayudarte.

–No, gracias –contestó Sara, tratando de recomponer lo que le quedaba de orgullo.

–Pensé que eras más lista –replicó él en tono insolente.

–¿Estás tratando de comprarme? –preguntó ella, sintiéndose humillada.

Él curvó sus labios en una irónica sonrisa.

–No. Si así fuera, te habría pedido que pusieras precio.

–¿De veras? ¿Te das cuenta de lo arrogante que eres?

Sinceramente sorprendido, Kain rió.

–Lo cierto es que hay ocasiones que con la arrogancia se consiguen ciertas cosas. Así que, ¿no quieres casarte con Brent?

–Ni siquiera lo hemos hablado y dudo mucho que entre en los planes de Brent.

Una respuesta evasiva, pensó Kain. No parecía estar segura todavía de querer dejar escapar a Brent.

Quizá debería seducirla. Su cuerpo entró en acción, bombeando más sangre por sus venas. Ese beso de prueba había demostrado una cosa: su desbocada pasión significaba que no estaba enamorada de Brent.

Pero ello no suponía que no estuviera planeando casarse con él. Y si eso era lo que quería, a menos que alguien interviniera, lo conseguiría. Según su madre, Brent estaba tan perdidamente enamorado como para proponerle matrimonio. Un diamante valorado en más de treinta mil dólares justificaba los peores temores de Amanda. Aquello no podía ser un regalo sin importancia.

Sobrecogido por la ira que aquella idea despertaba en él, lanzó otra mirada a Sara. Tenía un extraño talento para permanecer quieta. Su perfil destacaba en la oscuridad. Parecía estar a punto de echar a volar.

¿Sería una pose? Desde luego que, si lo era, estaba muy bien escogida. Dejaba adivinar sus pechos turgentes y la línea de sus piernas. Era lo suficientemente llamativa como para provocar que los hombres se giraran a su paso. Su tía tenía motivos para estar preocupada por la relación de su hijo con Sara Jane Martin. Nada de lo que había descubierto Kain sobre ella la hacían aconsejable para su primo.

Kain ignoró el incómodo pellizco de deseo que sentía. Anteriormente, había tenido otros arrebatos que no había llegado a consumar. Habían sido caprichos pasajeros sin importancia.

Quizá estuviera comparando las ganancias económicas que le reportaría convertirse en su amante o en esposa de Brent. Ninguna de las dos opciones prometía seguridad, pero con ambas obtendría beneficios. Y si su idea era convertirse en organizadora de eventos, conseguiría una importante lista de posibles clientes.

–Creo que sería una buena idea que te fueras de allí cuanto antes.

Su comentario coincidía con la decisión que había tomado antes de conocerlo. ¿Por qué sus pensamientos no dejaban de dar vueltas en su cabeza? Se sentía confundida y desalentada. Se giró y se encontró con sus ojos.

¿Pero es que aquel hombre nunca perdía el aplomo? ¿Ni siquiera cuando hacía el amor? La inquietud que sentía dejó paso a un arrebato de ardor mientras su mente caprichosa evocaba una imagen de él, bronceado, esbelto y poderoso, inclinándose desnudo hacia ella con una sonrisa en su boca y sus increíbles ojos gélidos…

Cerró las manos en puños y apartó aquella imagen de su mente. Nunca había tenido fantasías eróticas o al menos no recordaba haber soñado con un hombre. No iba a permitir que Kain Gerard irrumpiera en su vida, aunque besara como un dios.

Una mujer sensata huiría corriendo. Sara trató de recomponer sus pensamientos y de llegar a una conclusión lógica.

–Aunque Brent sea joven e inexperto, no necesita de un primo mayor protegiéndole con una escopeta. Se enamorará un montón de veces antes de que encuentre alguien que quiera pasar el resto de su vida con él.

–No podría estar más de acuerdo –dijo Kain y sonrió sin revelar sus verdaderos pensamientos–. Si Brent no es más que un amigo para ti, podemos continuar a partir de ahí.

¿Qué quería decir con eso?

–¿Continuar?

–Lo cierto es que creo que ya lo hemos hecho –dijo pensativo–. Creo que ese beso ha sido un avance, ¿no te parece?

Furiosa, se dio cuenta de que las mejillas volvían a arderle y enderezó la espalda. Si no superaba la tentación, aquella fuerte atracción la conduciría a un desengaño. Porque Kain Gerard no le estaba ofreciendo otra cosa que satisfacer la lujuria. Ni necesitaba ni quería aquello.

–Tengo dos apartamentos en perspectiva, así que en breve me iré –dijo Sara.

–Bien.

No podía dejarlo así. Tenía que decir algo más para dejar las cosas claras.

–Además, no estoy interesada en tener una aventura contigo –dijo con toda la determinación que pudo reunir–. Ni ahora ni nunca.

Capítulo 4

KAIN se quedó mirándola durante unos segundos antes de asentir.

–Si eso es lo que quieres…

–Lo que de veras quiero es irme a… Lo que quiero es volver –concluyó Sara, corrigiéndose.

El apartamento de Brent nunca había sido su casa.

–Te llevaré.

–No.

Pero al final la llevó y la acompañó hasta la puerta.

–Buenas noches –dijo Kain con aquella sonrisa irónica que Sara había empezado a odiar, y se quedó observando cómo abría la puerta con la llave que Brent le había dado.

Por lo menos no entró. Se sintió aliviada. Una vez dentro, vio los periódicos que había dejado amontonados para buscar anuncios de apartamentos. A regañadientes, se puso a leerlos y se detuvo al llegar a un artículo sobre las carreras del hipódromo.

–Oh, deja de ser tan gallina –se dijo en voz alta y lo desplegó sobre la mesa.

Al ver la foto de ella junto a Kain, suspiró. El fotógrafo había captado un momento de tensión entre ellos, cuando se estaban mirando el uno al otro como dos personas en los primeros instantes de atracción sexual.

Con razón Poppy no había dejado en toda la semana de dirigirle su mirarla especulativa. Kain estaba muy guapo en la foto, con sus prominentes mejillas y su boca letal, sus ojos entrecerrados… Se estremeció al recordar el beso y el deseo que había despertado el roce de su lengua.

—Recuerda —se dijo en voz alta—. Aunque tenga el aspecto de un dios, tiene el instinto de un tiburón.

Llevada por la ira y por un humillante sentido de la traición, dobló el periódico y lo tiró a la papelera. Al menos, era fin de semana. Tenía dos días completos para descansar antes de tener que volver a soportar la curiosidad de Poppy.

A la mañana siguiente, tomó fruta y una tostada y bebió más café del habitual antes de levantarse y empezar a hacer algunas tareas domésticas. El apartamento contaba con servicio, pero tenía ropa que lavar. Una vez terminara, tenía que seguir buscando apartamento.

Media hora más tarde abrió el periódico del sábado y se dispuso a comenzar la aburrida tarea justo cuando sonó su teléfono móvil. Frunció el ceño y contestó.

—Me acaban de llamar los Brown —dijo su jefe, Mark Russell, sin más preámbulos.

Por su tono, sabía que no iba a gustarle lo que le iba a contar. Sara frunció el ceño y sintió un vuelco en el estómago. Los Brown eran la pareja a la que les habían alquilado su mansión para la subasta y las exposiciones.

—¿Y?

—Me han dado una mala noticia: no podemos celebrar la subasta en su casa.

Disgustada, Sara respiró hondo. No debía mostrarse asustada, así que trato de mantener la calma.

–Lo siento. ¿Qué…

–Pero han sugerido otra casa. ¡Es incluso mejor!

Aliviada a pesar de la gran cantidad de trabajo que ello supondría para organizarlo en menos de una semana, Sara suspiró.

–¿De quién? ¿Dónde está?

–Kain Gerard nos ha ofrecido su casa en Mahurangi. No podía ser más perfecto.

La voz de su jefe rezumaba satisfacción. Sara se quedó de piedra, preguntándose cómo había ocurrido.

–Mahurangi está al norte, a una hora en coche de aquí –objetó–. ¿Estará dispuesta la gente a ir tan lejos?

–Sí, claro, especialmente si eso supone ver una de las mejores casas de estilo neogótico de Nueva Zelanda. La hacienda de Totara Bay es magnífica. Además, está el imán del apellido Gerard. Muy selecto –dijo arrastrando las dos últimas palabras.

Disimulando su consternación, Sara puso su mente a trabajar. Elegir bien el lugar era el secreto del éxito de cualquier evento. Los comentarios de Mark podían parecer frívolos, pero sabía a lo que se refería. El éxito de la subasta recaía en reunir al mayor número de ricos.

Kain Gerard se movía en importantes círculos a nivel mundial y, por una noche, las personas que querían ascender socialmente podían sentirse integradas. Ya tenían casi ciento cincuenta personas inscritas en la subasta. En cuanto se supiera la noticia, habría más.

Sara hizo un esfuerzo para que su voz sonara entusiasmada.

–Sí, claro. Podemos contratar autobuses para que recojan a la gente en sus casas y que los traigan de vuelta –dijo y empezó a hacer algunas anotaciones–. La empresa Fleet tiene una docena de autobuses lujosos. Intentaré conseguirlos aunque tenga que suplicar de rodillas. Deja que yo me ocupe.

–Kain me ha dado un teléfono de contacto –dijo y se lo leyó–. Me doy cuenta de que hace falta mucho tiempo para organizarlo todo, así que tómate el tiempo que necesites para arreglarlo. Yo me encargaré de hablar con la empresa de seguridad.

Cinco minutos más tarde, dejó el teléfono móvil a un lado y se sentó con la mirada perdida. Hizo falta que sonara el teléfono del apartamento para que volviera a moverse.

–¿Hola?

–Espero no haberte despertado –dijo Kain Gerard en tono burlón.

–No.

–Imagino que ya habrás hablado con Russell.

–Sí.

–Pensé que podíamos ir a la casa para que la conocieras.

Sara no quería ir con él, pero no le quedaba más remedio.

–Gracias, será fantástico si tienes tiempo.

–¿Cuándo?

–¿Esta mañana?

–Claro. Te recogeré en media hora.

–Sólo una pregunta: ¿el jardín de Totara Bay es lo suficientemente grande para montar una carpa para doscientas personas?

–Sí –contestó desinteresado, como si respondiera a algo evidente.

–De acuerdo. Te espero.

Al colgar, lanzó una rápida mirada al periódico.

Había resultado infructuoso su intento de marcharse de casa de Brent. Se prometió que al día siguiente llamaría a los anuncios que le habían gustado, aunque era consciente de que los mejores sitios podían no estar disponibles para entonces.

Por orgullo, decidió hacer algo con las ojeras que tenía. Se aplicó maquillaje para ocultar la evidencia de una noche sin descanso y, para cuando Kain Gerard llegó, estaba lista esperándolo. Antes de que tuviera oportunidad de salir del coche, ella se acercó.

Con el estómago encogido en un nudo, se sentó en el asiento del copiloto y esbozó una sonrisa profesional.

—Es muy amable por tu parte.

Kain volvió a arrancar el coche y maniobró con destreza para salir del aparcamiento.

—Cualquier cosa por una buena causa —dijo con cierta ironía.

Sara permaneció callada mientras atravesaban la ciudad. Aunque la tensión que sentía oprimía sus nervios, prefería eso a una conversación que parecería un combate más que un intercambio de puntos de vista.

Nada más cruzar el puente del puerto, pusieron rumbo hacia la autopista.

—Estaré un par de días de viaje esta semana, así que tendrás que coordinarte con mi ama de llaves. ¿Tienes coche?

—No —admitió a regañadientes.

Él se encogió de hombros.

—Pensaba que haría falta uno para este tipo de trabajo.

—De momento es sólo un entretenimiento —le explicó—. Además, siempre he trabajado en Auckland.

—Mark Russell dice que tienes talento para esto.

Parecía estar bromeando, como si organizar eventos fuera una tontería.

Sara no quería enfadarse.

–Eso espero. Esto será toda una prueba para mí.

–Estoy seguro de que lo harás muy bien.

El beso que obsesionaba sus sueños era un lastre en su cabeza. Fascinante y prohibido, no dejaba de hacer que su cuerpo se estremeciera al recordar su reacción.

Enseguida apartó la idea y fijó la mirada al frente mientras el paisaje cambiaba de la ciudad al campo, verde y frondoso. Enseguida llegaron a la costa.

El silencio se hizo incómodo entre ellos, pero Sara se negó a romperlo.

Poco después, tomaron la carretera y comenzaron un recorrido serpenteante por una península. Los reflejos del mar y los estuarios de manglares comenzaron a aparecer entre las colinas. Después de cinco minutos de descenso a través del bosque tropical, salieron a la potente luz del sol. Sara tuvo que parpadear varias veces seguidas para ajustar su visión.

El cartel a la entrada decía simplemente Totara Bay. El camino atravesaba unos fantásticos prados y, al llegar al jardín, Sara recordó la pregunta que había hecho sobre su tamaño. ¡Con razón le había parecido a Kain una pregunta absurda! El terreno parecía extenderse infinitamente, bañado por los reflejos del sol. Cerca, y oculta por una densa pantalla de árboles, había una playa.

Se quedó sin aliento al ver la casa. Era grande y discretamente elegante, de muros blancos y tejado gris. Para su horror y sorpresa, a Sara se le llenaron los ojos de lágrimas, así que tuvo que parpadear rápidamente mientras se acercaban a la puerta principal.

Tuvo una extraña sensación, como si fuera a su casa a donde estaba llegando. Unos sentimientos que hacía tiempo no sentía la asaltaron. La necesidad infantil de seguridad, de estabilidad y tranquilidad la embargó. Era todo aquello que siempre había querido y que había envidiado cuando era pequeña.

Todo allí, en aquella casa propiedad del hombre que la asustaba con su imponente forma de ser.

Asustada ante la idea de tener que contar cuánto le estaba afectando, Sara decidió romper el silencio.

–¿Cuántos años tiene este edificio tan bonito?

–Unos ciento veinte años. El padre de mi tatarabuelo se estableció aquí hace unos ciento cincuenta años –dijo, deteniendo el coche frente a la entrada–. Crecí aquí.

Otra vieja fortuna. Sabía mucho de viejas fortunas. Todavía recordaba cuando, con ocho años, una mujer había ido a su colegio y había exigido casi a gritos que su hija no se sentara al lado de Sara. Había sabido el porqué. La hija del borracho del pueblo no podía sentarse junto a una niña proveniente de un entorno adinerado.

Aquella impresionante casa acentuaba aún más la diferencia que había entre Kain y ella, incluso en la igualitaria Nueva Zelanda.

Sentía la mirada perspicaz de Kain clavada en su rostro.

–Es el entorno perfecto para la subasta –dijo ella, fijando los ojos en la fachada–. Imagino que habrá sitio para que aparquen los autobuses.

–¿Autobuses?

Sara se las arregló para esbozar una sonrisa profesional.

–No te preocupes, no vendrán miles de personas.

Ya sabes que para asistir a este evento es necesaria invitación y, como mucho, habrá media docena de autobuses, no más –dijo–. ¿Has decidido ya si vas a venir?

Él la miró con los ojos entornados.

–Claro. Ésta es mi casa.

Kain salió del coche y lo rodeó para abrirle la puerta. Sara se aferró a su maletín y lo acompañó hasta el lateral de la casa, donde había una zona de grava para aparcar.

Sara miró a su alrededor y asintió.

–Sí, este es el lugar perfecto para los autobuses –dijo, tratando de sonar profesional y resolutiva.

El interior era tan bonito como el exterior y Sara trató de no quedarse mirando descaradamente. Aunque la mayoría de las casas viejas eran lúgubres, aquella había sido reformada para dejar entrar la luz y estaba amueblada con una mezcla de piezas viejas y modernas.

Las obras de arte también eran magníficas. Con ironía, reparó en que no había nada posmodernista, sólo una variada colección de obras maestras. Algunas eran de pintores desconocidos y otras, como la del rostro apasionado de una mujer victoriana que estaba contemplando, de pintores renombrados.

Sin duda alguna debía de ser una antepasada suya. Aquella mujer desconocida y Kain compartían la misma estructura ósea arrogante y aristocrática.

Kain la llevó hasta una gran estancia que daba a una amplia galería.

–Te sugiero que sirvas las bebidas y los canapés aquí. La gente puede entrar por las puertas francesas y luego salir a la carpa con sus copas para la subasta. Además, creo que será más cómodo para el servicio de restauración servir la comida en el salón.

Sara reparó en que Kain estaba asumiendo el control y sin apenas darse cuenta. Esa autoridad era una parte esencial de él, como lo eran también sus duros rasgos y la arrogante línea de su mentón. Todo ello le convertía en el hombre más guapo que nunca había conocido.

Una sensación de calor en la boca del estómago le advirtió de que tenía que dejar de pensar en eso.

–¿Cómo es tu cocina? –preguntó, hablando demasiado rápido–. A veces, es más sencillo para el servicio de restauración montar una cocina ambulante.

–Será mejor que la veas.

De nuevo, aquel tono divertido en su voz. Pero en cuanto vio la cocina entendió por qué. La cocina de la casa estaba preparada para multitudes.

–No habrá ningún problema aquí –convino, mientras con la vista recorría la variedad de modernos electrodomésticos–. Es perfecta.

–Ven a ver dónde irá la carpa.

Aquella natural autoridad estaba bien, pensó, pero la carpa iría donde ella quisiera.

Aun así, se giró para seguirlo, pero descubrió que no se había movido. Aunque intentó detener el paso, no pudo evitar toparse con él. Aturdida, se le escapó el maletín de las manos y al tratar de agarrarlo a tientas, estuvo a punto de caerse.

Kain la sujetó. Sara creyó oírle decir algo por encima del sonido de sus latidos. Luego, sus brazos la rodearon y levantó la mirada.

Todos sus sentidos le advirtieron que saliera corriendo. Pero se quedó paralizada, con los ojos abiertos como platos mirándolo. Kain sonrió y bajó la cabeza. Incapaz de pensar, Sara dejó caer los párpados.

Esperaba un beso igual al primero, desafiante y

devorador, pero éste resultó tan suave que apenas sintió una lenta y cálida caricia sobre los labios. La sensación era tan tentadora, que tuvo que controlar el deseo de dar rienda suelta a la pasión que se estaba acumulando en su interior.

A pesar de la mezcla de temores y órdenes que dividían su mente, su cuerpo sabía muy bien dónde quería estar. Deseaba sentir los brazos de Kain y disfrutar de su suave e intenso aroma masculino que tanto la embriagaba.

–Sara.

Su nombre en su boca era una caricia para sus oídos y su voz grave transmitía una excitante insinuación de pasión salvaje.

–Di mi nombre –le ordenó Kain.

Su corazón dio un vuelco al oírle hablar de aquella manera tan sexy. Parecía un gesto demasiado íntimo, una rendición que Sara no estaba dispuesta a conceder.

Si al menos pudiera pensar con claridad, sabría por qué. Alarmada, abrió los ojos y se encontró con los de él. Su fría relación había dado paso a las intensas llamas de la excitación.

Un clamor de deseo emanó de ella, borrando todo pensamiento coherente de su cabeza. Podía negarse, o burlarse de él llamándolo «señor Gerard».

Pero el deseo ardía intensamente en ella, un ansia poderosa más absorbente que su cobardía.

–Kain –dijo Sara cediendo.

De todas formas, le quedaba algo de cordura y no quería que se diera cuenta de cómo su maniobra de seducción le hacía bajar sus defensas.

–Gerard –añadió.

Kain observó sus labios mientras pronunciaba su nombre y rió.

–Mi nombre nunca ha sonado tan bien.

A continuación, volvió a besarla.

Todo pensamiento coherente desapareció como respuesta a su beso, muy diferente a cualquier experiencia previa que recordara. No tenía miedo ni preocupación. Perdida en un torbellino de deseo carnal, apenas recordaba haberse sentido nunca tan segura, como si no pudiera ocurrirle nada entre los brazos de Kain.

Hasta que él levantó la cabeza y la soltó. Aturdida por la fría y súbita distancia entre ellos, lo miró en silencio mientras él estaba atento a algo que pasaba a su espalda.

–Alguien viene –dijo en voz muy baja para que sólo ella pudiera oírlo.

Sara dio un paso atrás y a punto estuvo de tropezar con su maletín. Se agachó y lo recogió, aliviada al tener algo que hacer que supusiera apartarse un momento de su mirada escrutadora.

Desde detrás, se oyó la voz agradable de una mujer de mediana edad.

–Oh, lo siento, Kain. No sabía que estuvieras aquí.

–La señorita Martin está conociendo la cocina –dijo con tranquilidad.

Sara se enderezó, confiando en que el movimiento de agacharse le hubiera dado algo de color en el rostro y se encontró con un par de ojos azules cálidos e interesados y una amable sonrisa.

–Sara, ella es Helen Dawson –continuó Kain–. Helen, ella es Sara Martin, la organizadora de la subasta de arte. Se le había ocurrido que el servicio de restauración podía montar una cocina ambulante, así que la he traído aquí para enseñarle que no hacía falta.

–Podemos ocuparnos de los restauradores –afirmó el ama de llaves con rotundidad.

–Ya lo veo –dijo Sara y por suerte su voz sonó con normalidad, al menos, para alguien que no la conocie-ra–. He visto anuncios de cocinas que están menos equipadas que ésta.

Tan sólo confiaba en que su boca no dejara adivi-nar que la acababa de besar unos segundos antes. Respiró hondo y trató de controlar su corazón.

–Las cocinas de las haciendas se preparaban para todo –dijo el ama de llaves–. Aunque hoy en día no se hacen las matanzas aquí. La fruta y la verdura se ven-den, puesto que aquí no vive nadie para comerla –añadió y sonrió a su jefe–. Kain tiene buen apetito, pero no está el tiempo suficiente.

–Helen está deseando que llegue el día en que pueda volver a cocinar para diez –dijo Kain bromean-do.

–¿Diez? –rió Sara–. Al hogar de acogida en el que viví durante un año, le habría venido bien alguien como usted.

El ama de llaves se quedó sorprendida.

–Estoy segura, pero dudo que hubieran podido permitírselo.

Sara y la mujer intercambiaron miradas, y Sara sintió que había encontrado una aliada.

–¿Hay algo que quiera conocer? –preguntó el ama de llaves.

Sara sacó su cuaderno de notas.

–Si pudiéramos repasar algunas cosas…

Para su tranquilidad, Kain las dejó. Media hora más tarde, Sara estaba convencida de que el ama de llaves no sólo era una mujer muy competente, sino de gran ayuda también.

–Muchas gracias –dijo guardando el cuaderno–. Me he quedado más tranquila.

–Imagino que una anulación cuando está próxima la fecha debe de ser la pesadilla de cualquier organizador –observó Helen.

–Es una más –dijo Sara sonriendo–. Pero éste es mi segundo empleo. Trabajo en la fundación Russell como secretaria.

–¿Cuál de las dos ocupaciones le gusta más?

Sara se quedó pensativa unos instantes antes de contestar.

–Me gusta trabajar en la fundación. Es una satisfacción desde el punto de vista moral –dijo y al ver que su respuesta le había quedado algo pretenciosa, se apresuró a continuar–. Pero debo confesar que por muchas razones, esto es mucho más creativo. Disfruto mucho.

–Como la diferencia entre preparar una sencilla comida para una familia o una cena de diez platos para sibaritas –asintió Helen–. No me gustaría tener que estar haciendo lo mismo siempre, pero me gustan los desafíos. Y a Kain también, desde que nació.

Parecía una advertencia y Sara la entendió instintivamente. Confió en que sus mejillas no se hubieran ruborizado.

–De momento, el único reto que me interesa es organizar una noche tan fantástica, que los asistentes se gasten todo el dinero que puedan en arte.

–Estoy segura de que lo conseguirá –dijo la mujer y miró por detrás de ella–. Creo que lo tenemos todo organizado, Kain.

–Bien –dijo con voz neutral–. Sara, será mejor que vengas y conozcas el resto de la casa.

El tono de sus palabras la hizo estremecerse. El

ambiente se le había hecho más denso, pensó Sara, consciente de que estaba exagerando. Sabía por qué. Cada vez que estaba con Kain Gerard, todos sus sentidos se afinaban como si percibiera un aviso subliminal.

La llevó de vuelta al salón y salieron por las puertas correderas de cristal a la galería, una zona amplia y cubierta que daba a los jardines.

—Aquí se montará la carpa —dijo él, señalando.

Sara hizo una rápida inspección de la impecable explanada de césped, que estaba rodeada de una exótica mezcla de flora subtropical.

—Sí, aquí es ideal. ¿Cómo quieres que se coloquen los invitados ?

—¿Crees que es necesario?

Ella se encogió de hombros.

—No van a andar por ahí merodeando con riesgo a perderse en tus fabulosos jardines. No pueden olvidarse que están aquí para gastar dinero.

—Claro que no —respondió él con ironía—. ¿Eres siempre tan resuelta?

—Me pagan por serlo —dijo ella con tono frío y algo cortante.

Que pensara lo que quisiera. Nunca había vivido al borde de la pobreza como los beneficiarios de la fundación, pero sabía lo que era vivir al límite. No les causaría ningún daño a los que querían ascender en la escala social rascarse los bolsillos.

—Estoy seguro de que intentas dar un buen servicio a cambio.

Sara hizo frente a su mirada asesina como pudo.

—Sí, pero no incluye hacer cambiar de opinión a la gente de la que vivo.

—Y también eres sincera —dijo Kain sonriendo.

Sara confió en que no se hubiera dado cuenta de su estremecimiento. Nunca adivinaría el dolor que causaban aquellos comentarios hechos tan a la ligera.

–Por supuesto –dijo enterrando dolorosos recuerdos–. Bueno, para delimitar la zona, podemos colocar una valla blanca aquí, junto a la barandilla de la galería, impidiendo el acceso al resto del jardín. También habrá seguridad.

–Usaré la mía.

–Pero ya he hablado con la compañía que siempre…

–Anúlalo –le dijo indiferente.

–Tenemos un contrato firmado…

Kain clavó su mirada gélida en ella.

–Entonces, págales, pero quiero que se ocupen mis hombres –dijo y al ver que iba a protestar, rápidamente añadió–. Eso no es negociable, Sara.

La tenía acorralada y lo sabía. A una semana de la subasta, no tenía posibilidad de encontrar un entorno tan perfecto como aquél. Aunque estaba empezando a enfadarse, decidió ceder con toda la tranquilidad que fue capaz de reunir.

–Si es tan importante para ti, de acuerdo.

–No te cobraré e imagino que sólo has pagado un adelanto a esa compañía. De esta manera, la fundación se ahorrara un dinero. Y mis hombres recibirán instrucciones sólo de mí –concluyó con frialdad.

Sara estuvo a punto de sublevarse ante su comentario, pero asintió y cerró el cuaderno en el que había estado haciendo las anotaciones.

–Muy bien, creo que tengo todo lo que necesito. Ahora si no te importa, tengo que regresar a Auckland y empezar a llamar a algunas personas.

–Sugiero que comamos antes –dijo–. Helen nos ha preparado la comida en el porche.

Algo había cambiado, Kain había cambiado.

No, estaba imaginando cosas. No lo conocía tan bien como para ver más allá de sus bonitas facciones.

Aun así, su estómago dio un vuelco. Trató de tranquilizarse y de pensar en lo arrogante que era. ¿Disfrutaba dando órdenes a los demás? Seguramente.

Pero el recuerdo de aquellos besos aún ardía en ella, incitándola a disfrutar de su compañía y de aceptar el desafío que le ofrecía, imaginándolo como amante.

El sentido común le decía a Sara que sería una experiencia interesante, pero que al final saldría herida.

–Muy amable, gracias –dijo en tono neutro.

El porche era moderno y daba a una playa de arena muy blanca. Era muy bonita y no había gente. Enseguida reparó en que se trataba de una playa privada y a lo lejos distinguió un elegante yate anclado en la bahía.

Así era como vivían los ricos, pensó, y giró la cabeza para inspeccionar el porche, amueblado con tumbonas y una mesa larga para muchos invitados. Alguien, probablemente el ama de llaves, había cortado flores y las había puesto en un enorme florero blanco que contrastaba con los brillantes pétalos multicolores.

–Si quieres lavarte las manos, hay un aseo aquí.

Había un lujoso vestuario con duchas para los bañistas. Así no entrarían en la lujosa mansión con arena de la playa.

Se miró al espejo y suspiró. Tenía los labios rojos, la piel sonrojada y la mirada oscura y ardiente. Su aspecto la delataba. Sin reparar en el maquillaje que llevaba, se lavó la cara con agua fría y se la secó suavemente tratando de concentrarse en pensamientos relajantes.

No funcionó. Abrió los ojos y se quedó mirando su reflejo. Había sido una completa estúpida. Su instinto le decía que, a pesar de la arrogancia de Kain, si le hubiera pedido que dejara de besarla, él lo habría hecho.

Pero por primera vez en su vida estaba sintiendo deseo, así que había dejado que la besara. No sólo había consentido, sino que había colaborado con un entusiasmo humillante. Ahora, él sabría con certeza que lo deseaba.

Se ruborizó y se miró a los ojos en el espejo.

No iba a ocurrir nunca más. Se aseguraría de que comprendiera que, de ahí en adelante, cualquier relación entre ellos sería estrictamente profesional. Y si no entendía el mensaje, se lo diría con toda la confianza que pudiera reunir.

Pero antes, tenía que pasar por aquella comida. La idea de comer con él le provocaba un nudo en la garganta.

¿Dónde estaba su imagen profesional?, le preguntó a su reflejo en el espejo.

Alzó la cabeza y enderezó los hombros mientras regresaba junto a Kain.

No se dejaría intimidar por él, ni por su riqueza ni su posición social. O por el hecho de que, cuando la miraba o la rozaba, su cuerpo ardía en llamas de deseo.

Capítulo 5

ARMADA con determinación, Sara salió del vestuario. Sobre la mesa del porche, había dispuesta una comida compuesta por calabacines rellenos y mejillones, acompañados de pan recién horneado y ensaladas.

–¿Vino? –preguntó Kain.

–No, gracias –respondió y se sorprendió al ver que él tampoco se servía–. Esto tiene una pinta deliciosa.

–Helen estaba preocupada de que no comieras marisco, pero me acordé de que anoche comiste vieiras en la cena.

El hecho de que lo recordara, la incomodó.

–Me gusta el marisco –dijo sin darle mayor importancia y dirigió la conversación hacia la subasta.

Mientras comían, su inquietud fue en aumento. Estaba segura de que había habido un cambio sutil y apenas perceptible en su actitud hacia ella. Su carácter reservado, unido a su magnetismo masculino, había dado paso a un comportamiento más intimidante.

Además, tratar de convencerse de que lo estaba imaginando tampoco le era de gran ayuda.

Tampoco le importaba lo que pensara de ella, pensó aceptando un trozo de tarta de melocotón. Le echó un poco de la nata que Kain le ofreció.

Una vez acabaron de comer, Sara pidió un té en lugar del café que Kain le ofreció.

–Cuéntame por qué dejaste tu primer empleo –dijo él sin más preámbulos.

Al principio, Sara estaba segura de que no le había oído bien.

–¿Cómo? –preguntó tratando de mantener el control.

Él la estaba observando con su mirada implacable.

–Después del instituto, trabajaste en el despacho de un viejo abogado. Por alguna razón te fuiste a toda prisa y desacreditada.

–No fue así –dijo y entrelazó las manos sobre su regazo, mientras el horror la invadía.

Humillada, levantó la cabeza y se encontró con sus ojos grises desafiantes.

–El trabajo fue temporal. El señor Frensham sabía que tenía pensado marcharme a la universidad a estudiar, cosa que hice.

–Después de que sedujeras a su nieto. Como una especie de seguro en caso de que Frensham descubriera lo que habías hecho –dijo y una sonrisa irónica endureció aún más su expresión–. El nieto se debió de sentir como un completo idiota cuando le dejaste. Al parecer, se quedó destrozado.

A Sara le molestaba la idea de que hubiera hecho que alguien la investigara y volviera a remover aquellos cotilleos.

Eso explicaba el cambio que había observado en él. Mientras ella había estado hablando con Helen, él debía de haber estado hablando por teléfono, pero ¿con quién? ¿Con una empresa de detectives?

Se estremeció. Al menos, nunca sabría lo que había ocurrido de verdad. Por lo que sabía, todo el mundo relacionado con aquel asunto tan sórdido había muerto, a excepción de Derek. Y no había vuelto a verlo desde que descubriera cómo la había utilizado y cómo la había traicionado.

Permaneció en silencio. Sus ojos resaltaban sobre la palidez de su rostro y mantuvo los labios sellados.

Kain insistió de nuevo, deseoso de sacarle toda la verdad.

–Tuviste suerte de que todo quedara en un problemilla de falsificación, pero me temo que me veré obligado a informar a Brent sobre tu accidentado pasado. Como comprenderás, no puedo garantizarte que no se lo cuente a otras personas.

–Por supuesto que no puedes –dijo mirándolo con sus ojos brillantes–. No me importa a quién se lo cuentes. No puedes probar nada.

–Las malas costumbres se pegan.

Él había usado a propósito la palabra «falsificación» para ver cómo reaccionaba. Había percibido algo diferente en su mirada, pero no le había corregido.

¿Por qué iba a hacerlo? Falsificar era más honrado que chantajear, por no mencionar que una de sus víctimas se había suicidado.

–Si esto se hace de conocimiento público –continuó Kain sin piedad–, la fundación Russell reconsiderará tu puesto de trabajo. Después de todo, recaudan grandes cantidades de dinero y, en el mundo de las obras de caridad, la imagen lo es todo. Imagino que para protegerse, te harán renunciar a tu trabajo.

Los labios de ella temblaron. Tan sólo sus ojos proclamaban el desafío.

–No hice ninguna falsificación.

–Entonces, ¿qué hiciste?

Su mirada oscura se clavó en él.

–Nada más que estar en el sitio equivocado, en el momento equivocado –respondió muy seria.

Casi lo convenció. Kain intentó controlarse ante su determinación. Por aquel entonces, ella tenía diecisiete años, pero ahora era más madura y fuerte y había puesto sus ojos en Brent y en sus millones. Aceptar aquel anillo de diamantes significaba que estaba dispuesta a tomar lo que le ofreciera.

Pero, a pesar de todo, la deseaba. ¡Maldita fuera!

–Claro que siempre podrían ponerte como ejemplo de alguien a quien han ayudado a rehacer su vida.

Los últimos vestigios de color desaparecieron de su cara.

–Te detesto –dijo Sara poniendo en aquellas palabras todo su odio.

–Sí, imaginaba que no te gustaría –replicó él con frialdad–. Después de todo, tienes orgullo.

–Por todo ello, tengo orgullo –espetó.

Le había costado mucho esfuerzo conseguirlo. Al principio, no tenía. La humillación la corroía, pero tenía que convencerlo de que era inocente. Desesperada, continuó.

–No me quedé con nada, ni falsifiqué nada. Créeme. Si hubiera hecho algo ilegal, me habrían juzgado. Pero no fue así. ¿No te dice eso algo?

Con los ojos fijos en ella, la miró como si fuera alguien despreciable.

–Sí, que mucha gente habría sufrido de haber tenido que ir ante un tribunal a declarar –dijo él con precisión cruel y, al ver que permanecía callada, se aprovechó de su ventaja–. Si fuera obligado por tu intransigencia a revelar tu pequeño secreto, no necesito decirte lo difícil que te sería volver a encontrar un trabajo decente en Nueva Zelanda.

Tenía la capacidad de convertir en realidad su amenaza. El mundo empresarial de Nueva Zelanda era pequeño y estaba muy relacionado entre sí. Sería muy extraño que un departamento de recursos humanos ignorara una acusación como ésa.

Sin los ahorros que tanto esfuerzo le había costado reunir, no tenía dinero para ir a ninguna parte, ni siquiera a Australia. Sin un empleo, no tendría posibilidad de ahorrar.

–Y claro –continuó él sin piedad–, supondría el fin de tu incipiente carrera como organizadora de eventos.

–¡No! No hay motivo para…

Sara se quedó en silencio al ver su rostro impasible. Sería el final de todos sus sueños y esperanzas.

–¿De veras crees que alguien confiaría en una mujer con un pasado como el tuyo?

Sara contuvo la sensación de traición. Lo que Kain le estaba haciendo le dolía en aquella parte de ella que anteriormente había considerado invulnerable. De alguna manera, en el poco tiempo que hacía que se conocían, parecía haber atravesado sus defensas y la había alcanzado a un nivel mucho más profundo que el puramente físico.

–¿Qué quieres? –preguntó ella.

–Creo que lo sabes.

Sara se encontró con su implacable mirada, firme y despiadada, y se dio cuenta de que no tenía otra opción. Levantó la cabeza.

–¿Cuáles son tus condiciones? –preguntó saboreando la amargura de la derrota.

Kain bajó la mirada, ocultando cualquier expresión de sus ojos.

–Que te mudes a vivir conmigo y que pretendas estar enamorada de mí.

El agradable porche pareció convertirse de pronto en una prisión, estrechándose alrededor de Sara.

–Eso es imposible –dijo.

–Nada es imposible –replicó él con voz pausada e implacable–. Si eres sincera acerca de no querer nada con Brent, ésta es la manera más sencilla y menos dolorosa para él de decirle que no siga insistiendo.

Con las emociones alteradas, Sara se dio cuenta de que estaba retorciéndose las manos. Sus movimientos revelaban sus pensamientos.

–Corres el riesgo de que Brent te odie. Las disputas familiares surgen por incidentes como éste.

–No es rencoroso –dijo y añadió con ironía–. Además, ¿quién puede interponerse en el amor verdadero?

Sara estaba tratando de controlar sus pensamientos desesperados.

–No. Es una idea absurda, completamente absurda. E incluso si funcionara, puede que las cosas resulten más difíciles para Brent.

–Puede que al principio sea así –convino Kain y, con una tranquilidad autoritaria, añadió–. Siempre me preocupa más el largo plazo.

Se sentía arrinconada, sumida en una situación que nunca sería capaz de controlar.

–Ni siquiera puedo creer que lo hayas considerado.

–No será tan malo –dijo sin mucho énfasis, manteniendo los ojos fijos en el rostro de Sara–. Será necesario hacer un poco de teatro, pero estoy seguro de que te las arreglarás. Como mi amante, vivirás a todo lujo. Necesitarás ropa y dinero.

–No quiero nada de ti –dijo entre dientes.

–Considéralo unas vacaciones pagadas –respondió él con ironía.

¿Cómo podía ser tan cruel cuando estaba jugando con su vida y su futuro?

–No, no lo haré –dijo enfadada, poniéndose de pie.

Kain se acomodó en su silla y la miró con los ojos entornados.

–Siéntate –dijo y, al ver que permanecía de pie, repitió con voz más firme–. Siéntate.

–Prefiero permanecer de pie –dijo ella bruscamente, levantando la barbilla.

Luego, se quedó callada, incapaz de encontrar las palabras que expresaran su indignación.

Sin embargo, estaba contenta por aquel arrebato ya que le hacía olvidar, aunque fuera tan sólo de forma temporal, la traición.

Lo cual era estúpido, ya que desde el principio había sabido que sus besos no significaban nada.

–Olvida el pasado. Es el futuro lo que me preocupa.

Su fría insolencia la sacaba de quicio.

–Piensa detenidamente antes de tomar tu última decisión –añadió Kain al ver que Sara daba un paso atrás.

Luchando contra su indecisión, estudió su rostro mientras consideraba las opciones. No veía salida.

–No me acostaré contigo –dijo con voz firme, en un intento de mantener su orgullo.

–Es tu decisión –dijo Kain indiferente, encogiéndose de hombros–. A cambio de tu colaboración, no diré nada de tu pasado.

–¿Así que me ofreces unas semanas de lujo hasta

que tu primo renuncie a casarse conmigo? –preguntó sin ni siquiera pretender simular su desdén y frustración.

–Es una manera de verlo. La gente como tú siempre tropieza –dijo Kain levantándose y manteniendo su mirada arrogante–. ¿Cuál es tu decisión?

Sara lo miró con desprecio, deseando poder rechazar aquel trato y salir de allí con la poca dignidad que le quedaba.

–No tengo más opciones, ¿no?

–Siempre hay opciones –dijo él con sarcasmo–. ¿He de entender que estás de acuerdo?

Iba a obligarla a decirlo.

–Sí –murmuró enfadada.

De nuevo, era objeto de una mirada calculadora y desapasionada.

–Ten en cuenta que no me tomo muy bien la ruptura de acuerdos –dijo Kain–. Ahora, siéntate y termínate el té.

Después de unos segundos observándolo en silencio, se sentó, pero fue incapaz de beber nada. Se le había cerrado la garganta y fijo la mirada en el estuario, manteniendo la compostura con gran fuerza de voluntad.

No tenía manera de probar su inocencia. Incluso cuando el viejo señor Frensham se había disculpado por haberla juzgado mal, nunca le reveló cómo había descubierto que había sido su propio nieto el que había hecho chantaje a varios de sus clientes. La repentina marcha de Derek del pueblo era lo que la había convencido de cuál era la identidad del autor.

No tenía ni idea de dónde estaba Derek. La sola posibilidad de volver a verlo le disgustaba. Sin ninguna duda, Kain podría dar con él, pensó con una pizca de histeria que la asustó. Pero no se molestaría en buscarlo.

Los besos de Kain todavía provocaban ardor en su cuerpo, aunque no habían sido más que un ejercicio de poder y control por parte de él.

–Te llevaré de vuelta al apartamento de Brent –dijo él rompiendo el silencio.

Sara se levantó, negándose a preguntarle dónde pensaba encarcelarla, si allí o en su ático.

El viaje de vuelta a Auckland lo hicieron sin hablar. Deseaba que encendiera la radio para no sentirse tan amenazada por aquel silencio.

–Tengo que hacer una llamada –dijo él una vez dentro del apartamento de Brent.

Al menos, no tenía pensado estar mirándola mientras recogía sus cosas, pensó con amargura mientras se dirigía a la habitación que había estado utilizando.

Una vez allí, permaneció indecisa. Su cabeza daba vueltas sin ningún resultado. Kain pensaba que era una estafadora y una mentirosa. Sabía que a ella la atraía él y no había dudado en utilizar aquella debilidad contra ella. Su estómago dio un vuelco. Se enfrentaba a un futuro deprimente por algo que no había hecho.

La puerta se abrió y Kain apareció en la habitación. Sara estudió su rostro imperturbable y respiró hondo.

–¿Por qué? –preguntó sin mostrar ninguna emoción–. ¿Por qué es necesario que me mude a vivir contigo? Acabamos de conocernos. ¿Te gusta ser rápido en tus relaciones?

Él arqueó una de sus negras cejas.

–No, pero ésta es diferente –respondió con una sonrisa burlona–. Recuerda que es amor verdadero.

Un escalofrío recorrió su espalda.

–¿Y qué pasará cuando el tiempo pase? Todas las mentiras quedarán en evidencia.

–Una vez Brent esté bien y se haya olvidado de ti, no importará porque para entonces le dará igual. Hasta que eso ocurra, serás mi amante –dijo mirando en derredor–. No me gusta compartir y a Brent tampoco. Aunque nos llevamos bien, siempre ha estado un poco celoso de mí. No le va a gustar que te hayas mudado a vivir conmigo, pero probablemente te culpe a ti y no a mí.

–Muchas gracias –dijo molesta.

–Podría hablarle de tu pasado delictivo. A él le gusta la sinceridad. Y ahora, date prisa –le ordenó Kain–. Te ayudaré a hacer las maletas.

Sara se dio la vuelta, cerrando los puños a cada lado.

–¡No!

Kain no le hizo caso. Se acercó al armario y lo abrió.

–Detente –dijo corriendo hacia él y, al ver que la ignoraba, añadió entre dientes–. Como toques algo te…

Él sonrió desafiante.

–¿Me harás qué? ¿Me darás una bofetada? Inténtalo, Sara.

Acorralada, se vio forzada a desistir.

–De acuerdo, recogeré mis cosas, pero sal de aquí.

Mientras guardaba su ropa en una vieja mochila, Sara pensó en cómo le gustaría hacer desaparecer aquel comportamiento masculino tan arrogante y dominador que empleaba para imponer su voluntad a los demás. Lo malo era que él tenía el control.

Sus manos temblaban al cerrar la mochila. La recogió y salió al pasillo.

Kain se dio la vuelta en cuanto apareció por la puerta. Sin decir nada, alargó el brazo y Sara le dio la mochila. Era evidente que quitarle peso a una mujer era una reacción automática en él.

–No voy a dejar mi empleo –dijo ella.

–Creo que no te he dicho que lo hicieras –contestó–. ¿Esto es todo?

–Sí.

No era demasiado si se tenía en cuenta que llevaba trabajando cinco años, pero solía comprar con cabeza y ahorrar cada céntimo que podía.

–Llevas pocas cosas –observó.

Sara se detuvo.

–Tengo que dejar vacía la nevera.

–Deja una nota para el servicio diciéndoles que te has marchado y pidiéndoles que tiren todo lo que has dejado. También tendrás que dejarle la llave al portero.

Diez minutos más tarde, se sentía como si estuviera de camino a la celda de aislamiento. Se sentó en el asiento del copiloto y mantuvo la mirada fija al frente mientras Kain se sentaba a su lado y encendía el motor.

De camino, Sara reparó en que el cielo se había cubierto de nubes grises que apenas dejaban ver las colinas que daban a la ciudad más grande de Nueva Zelanda su inconfundible silueta. A pesar del calor opresivo, se estremeció.

–¿Tienes frío?

No sabía cómo se había dado cuenta. No le había visto apartar los ojos de la carretera.

–No. Parece que se acerca un ciclón.

–Es una tormenta tropical. Habrá lluvia y viento, pero no creo que sea nada serio.

Conducía bien, guiando tranquilamente el coche a través del tráfico.

Después de varios minutos, Sara reparó en que no estaba dirigiéndose a su apartamento.

—¿Adónde me llevas? —preguntó.

—Tengo una cabaña en la costa oeste. Necesitamos pasar un tiempo a solas.

De nuevo, su tono no ofrecía ninguna otra opción.

Encerrarse en una cabaña con él... Las cabañas, por definición, eran lugares pequeños. Volvió a estremecerse. La hacienda, que en su momento le había parecido una prisión, le parecía ahora una opción mucho mejor. Al menos allí tendría algo de intimidad.

—¿Cuándo volveremos? —preguntó y al ver que no le contestaba, continuó—. Tengo un evento que organizar, ¿recuerdas? Hay que cambiar algunas cosas y no hay manera de que pueda organizar nada desde una cabaña en la costa oeste.

—Te daré un teléfono móvil para emergencias y volveremos mañana por la noche.

Tan sólo se trataba de una noche. El peso de su aprensión se hizo más ligero.

—Por supuesto que estarás completamente a salvo —dijo—. O tan a salvo como quieras estar.

—Espero poder confiar en ti —dijo ella.

Su voz sonaba mordaz y demasiado vulnerable.

—Mucho más de lo que puedo confiar en ti.

Aquello le dolió, pero un solo vistazo a su perfil le indicó que sería inútil protestar. La tenía por una estafadora y, a menos que por algún milagro pudiera demostrar su inocencia, siempre sería así.

—Eso está por ver —replicó Sara, tratando de ocultar su dolor.

Para su sorpresa, Kain sonrió y el movimiento de sus bonitos labios la hizo estremecerse.

–¿Cómo te las has arreglado para conseguir un puesto de responsabilidad después de la debacle de tu primer empleo? –preguntó y al ver que pasaban los segundos sin que contestará, la miró–. ¿Y bien?

–Con mucho esfuerzo –contestó ella cortante.

Al reparar en la expresión de su perfil y en su voz reservada, Kain esperó. Cuando el silencio comenzó a hacerse tenso, Sara continuó hablando.

–Estudié Administración de Empresas, pero seguramente ya lo sabes.

Por supuesto que lo sabía. Lo que no entendía era por qué ella no le había dicho que había tenido un empleo casi a tiempo completo mientras estudiaba, ni que las clases se las había pagado con el dinero del seguro de vida de su padre.

Kain se preguntó qué otras cosas se esconderían en su pasado. Con diecisiete años había sido lo suficientemente lista como para librarse de una acusación por chantaje, ayudada por el hecho de que su jefe no había acudido a la policía posiblemente por su relación con su nieto.

Posiblemente, había roto con él después de salir del atolladero. Brent podría haber corrido la misma suerte si no hubiera aparecido él en escena.

Kain apretó los labios. Los rumores decían que había seducido a aquel hombre para asegurarse contra cualquier acusación. Quizá los rumores fueran equivocados, pero también podían ser ciertos. Fuera como fuese, Derek Frensham parecía haber desaparecido de la faz de la tierra.

Kain reparó en que parecía ausente, como si estuviera envuelta en una coraza de hielo, y de pronto a su mente acudió el recuerdo de su boca junto a la suya, suave, ansiosa y seductora. Despreciándose por ello, borró la imagen y se concentró en conducir.

Sara contemplaba el paisaje. El suave clima, la cercanía entre la costa y Auckland y sobre todo la belleza de la zona, eran un imán para los ricos que podían permitírselo. Se alternaban los campos arados con colinas cubiertas de bosque que hacían de barreras protectoras contra el frío del sur.

El silencio se fue haciendo más tenso por momentos. Sara estaba al borde de un ataque de nervios y no tenía manera de protegerse.

Kain redujo la velocidad y entró en un camino de grava. La sensación de peligro inminente se intensificó.

–Debes saber que ésta es una mala idea –dijo ella rodeándose con sus brazos–. Te arriesgas a enemistarte con Brent para siempre y…

–Conozco a mi primo –dijo interrumpiéndola sin ninguna delicadeza–. Una vez acepte que estamos enamorados, nos deseará todo lo mejor y buscará otra mujer con la que divertirse.

–Aunque tuvieras razón…

–Tengo razón.

Siguió avanzando con el coche y los últimos rayos de sol le dieron en la cara. Eso le dio la excusa de ocultar el rostro mientras se dirigían hacia la costa oeste. La carretera fue estrechándose y el campo se hizo cada vez más salvaje. La luz se intensificó debido a la cercanía del mar.

Dos postes de piedra indicaban el final de la carretera. Al otro lado, el camino de bifurcaba.

–Las granjas están por ahí –dijo Kain.

¿Estaba tratando de tranquilizarla? A partir de entonces, el camino se convirtió en dos sendas marcadas por la huella de las ruedas y separadas por césped. Pasaron por una plantación de pinos y al otro lado volvió a surgir un prado. Hacía rato que no veían ninguna casa.

—¿Dónde está? —preguntó.

Kain detuvo el coche bajo un roble tan grande, que probablemente llevaba allí más de un siglo. Su sombra los cobijó bajo un paraguas de penumbra.

Sara se enderezó y giró la cabeza. El ganado del prado más cercano levantó la cabeza hacia ellos, sin dejar de masticar la hierba.

—¿Qué ocurre? —preguntó Kain de pronto, con la mirada fija en su perfil.

—¿Que qué ocurre? —repitió Sara—. Oh, nada, tan sólo que he venido hasta Dios sabe dónde con un hombre que me ha obligado —dijo con toda la ironía que pudo—. Nadie sabe dónde estoy o con quién y ¿pretendes que me quede tan tranquila?

Él se encogió de hombros.

—Deja de ponerte tan melodramática. No voy a estrangularte ni a tirarte por el acantilado.

—¿Y cómo sé eso?

Él se metió la mano en un bolsillo, sacó un teléfono móvil y se lo dio. Sara lo tomó y sintió el calor de su cuerpo en aquel aparato sofisticado. Una extraña sensación se apoderó de ella. Deseaba algo que no había ocurrido, a la vez que estaba enfadada por su completa falta de comprensión.

También estaba enojada consigo misma porque realmente no temía por su seguridad e integridad física. Lo que le asustaba era algo más terrorífico. Aunque estaba enfadada con él, lo que más le dolía era que la hubiera investigado y que se hubiera creído todos los detalles sórdidos que el detective privado le había presentado.

El sentido común le decía que no fuera estúpida. Kain no la conocía y era evidente que pensaba que ella suponía una amenaza para Brent.

Pero su lado más débil y romántico hacía que confiara en él lo suficiente como para no tenerlo por un asesino o un violador, mientras que él pensaba lo peor de ella.

–Llama a quien quieras y dile dónde estás y con quién –le ordenó.

Ella lo miró y, al encontrarse con su mirada gélida, se estremeció de nuevo. Dándose por vencida ante lo inevitable, marcó el número de una amiga y, al ver que saltaba el contestador, maldijo entre dientes.

–Hola Libby, soy yo. Son las cinco y media del sábado y vamos a ir a pasar el fin de semana en la playa de…

Se detuvo porque no tenía ni idea de dónde estaban.

–Paritutu –dijo Kain y le quitó el teléfono–. Libby, soy Kain Gerard. Todavía no nos hemos conocido, pero lo haremos. Voy a llevar a Sara a Paritutu, en la costa oeste, en donde tengo una cabaña. Si necesitas ponerte en contacto con ella, éste es el número –dijo y después colgó.

–Gracias –dijo algo más tranquila–. ¿Por qué has hecho eso?

Él la miró pensativo.

–¿El qué?

–No tenías por qué dejar un mensaje a Libby. Se va a morir de curiosidad.

–Se supone que ésta es una relación entre gente normal. Eso supone conocer a los amigos y a la familia del otro.

–No tengo –balbuceó Sara–. Me refiero a que no tengo familia.

Al instante, deseó no haberlo dicho.

–Como sabes, yo sí –dijo arrancando de nuevo el coche.

Al salir de nuevo a la luz del sol, se le ocurrió una idea y antes de reconsiderarla, se precipitó.

–Espero que me creyeras cuando te dije que no iba a acostarme contigo. Lo único que estoy dispuesta a aportar a este plan tuyo es mi presencia.

–Quiero más que eso.

–Entonces, olvídate de…

–Sexo no –dijo Kain–. Pero después de este fin de semana, nos iremos a vivir a mi apartamento y quiero toda tu colaboración haciéndote pasar por mi amante.

Aturdida por su intransigente tono de voz, giró la cabeza y fijó la mirada perdida al otro lado de la ventanilla.

–Así que dejarás de sobresaltarte cuando me acerque a ti –continuó Kain–, y pretenderás estar enamorada de mí, o al menos que te sientes locamente atraída por mí. Estoy seguro de que puedes hacerlo.

Sus mejillas ardieron al escuchar aquella insinuación. Sabía que lo deseaba; la respuesta a sus besos había sido muy ardientes.

–Por supuesto que puedo –replicó–. Dime una cosa: ¿desprecias a todas las mujeres o sólo a mí?

–Desprecio la falta de honestidad –respondió con aspereza–. Por otro lado, te respeto por tu espíritu emprendedor –añadió con ironía.

–Eso es muy amable por tu parte. ¿Debería estar agradecida por esa pequeña muestra de aprecio?

La sorprendió rompiendo a reír, y para su desagrado, parecía divertirse de verdad. Claro que debía de ser fácil estar de buen humor cuando uno tenía todas las cartas en la mano y era tan despiadado como para chantajear y poder obtener así cualquier cosa que quisiera.

—Háblame de ti —le ordenó, reforzando su posición de poder.

—¿Para qué? Ya tienes un informe sobre mí. Parece que lo sepas todo. ¿Qué más podría añadir?

—Conozco los hechos.

—Si crees que secuestrarme te da derecho a algo más que a supuestos hechos, me temo que estás muy equivocado.

¿De dónde había sacado el coraje para decir eso?

—Dado que me obligas a ello, aguantaré esta estúpida farsa —continuó Sara con ironía—. Pero no tengo por qué disfrutar y desde luego que no voy a contar todo sobre mí. Después de todo, ¿para qué? Has decidido el tipo de persona que soy y nada de lo que diga te hará cambiar de opinión.

Kain la miró de reojo.

—Algo que no sabía era que tuvieras una lengua viperina.

Antes de que pudiera replicar, habían llegado a lo alto de una colina y al mirar por la ventanilla, Sara dejó escapar un suspiro involuntario.

—Bienvenida a Paritutu —dijo Kain, deteniendo el coche.

Capítulo 6

A DIFERENCIA de la hacienda de la otra costa, Paritutu estaba frente al océano salvaje. No había islas ni barcos en el horizonte y las olas rompían sobre la arena oscura con precisión militar. Aquellas colinas eran más altas que las que rodeaban Totara Bay y los barrancos eran más profundos. Los árboles que se extendían por las laderas estaban esculpidos por los vientos que tocaban tierra después de haber viajado por los mares.

–«Pari» significa «acantilado» y «tutu», «erguido». «Acantilado escarpado» –explicó Kain señalando en dirección sur–. Los maoríes solían referirse a la costa oeste como «la costa guerrera» porque por su dureza y aridez, para mantenerse a salvo tanto en tierra como en el mar, es necesaria una constante vigilancia.

–¿Y cómo llamaban a la costa este?

–Con sus estuarios, islas y penínsulas, su abundante pesca y sus playas llenas de marisco, el nombre lógico era «la costa femenina»?

–Típico comentario machista –replicó Sara, confiando en sus palabras secas ocultaran la sensación de emoción que sintió al ponerse de nuevo el coche en marcha.

El camino serpenteaba hacia abajo en dirección a un edificio que destacaba entre la maleza.

Era humillante detestarlo con tanta intensidad y, a la vez, sentirse tan atraída. ¿Qué haría si decidía besarla de nuevo? Abofetearlo le haría quedar como una estúpida porque dudaba mucho de que fuera capaz de mantenerse firme e insensible. Sólo de pensar en la destreza de sus besos hacía que se estremeciera, convirtiendo cualquier recelo en algo cercano al ansia.

Disgustada consigo misma, se concentró en el paisaje.

—Los maoríes creían que los hombres y las mujeres tenían roles diferentes —explicó Kain—, al igual que los europeos de la época. De todas formas, respetaban a todos por igual.

—¿Tienes antepasados maoríes?

—El primer Gerard que vino era francés. Se fugó de Tahití con la hija de un jefe supremo que había sido comprometida en matrimonio con otro jefe, así que tuvieron que huir a Nueva Zelanda. Se establecieron en Totara Bay.

Con razón tenía el pelo tan negro y aquellos rasgos arrogantes. La mezcla de sangres polinesia y francesa había dado como resultado un hombre muy atractivo, pensó, esforzándose en ser sarcástica en vez de sentir curiosidad.

—¿Su retrato es el que está en el vestíbulo de Totara Bay? —preguntó sin poder reprimirse.

—Sí. La leyenda familiar dice que lucharon como leones. Después de morir dando a luz, él no volvió a casarse.

—¿Quién se ocupó de criar al bebé?

—Su hermana vino de Francia. Era monja —continuó él—. Estricta, pero cariñosa. Se quedó quince años antes de volver al convento. La casa original sigue en pie en Totara Bay. Si quieres, cuando volvamos, te la enseñaré.

–Gracias.

–¿Te interesa la historia?

–Sí, sobre todo las historias familiares –admitió.

Quizá fuera porque no sabía nada de la suya. Su padre nunca le había hablado de su familia ni de la de su madre.

Se giró hacia él y vio el contraste de su perfil con la vegetación costera. Permanecieron en silencio hasta que la cabaña estuvo a la vista.

–¿Cabaña? –preguntó Sara, incrédula–. ¡Las cabañas suelen ser pequeñas!

Aquella casa no lo era. Demasiado moderna, no acababa de encajar con el terreno y el paisaje. No podía haber más diferencia con la hacienda de Totara Bay, de estilo victoriano.

–¿La has hecho construir tú? –preguntó Sara.

–Sí, es un diseño de Philip Angove.

No dijo nada más y Sara pensó que la casa y el lugar elegido para levantarla eran un reflejo de su carácter complejo. La hacienda había sido de sus antepasados. Aquél era un proyecto suyo personal y mostraba su particular gusto. ¿Para qué la había llevado allí?

Todavía en silencio, se detuvieron ante el garaje. Kain apretó un botón y la puerta se abrió. Una vez dentro, la puerta volvió a cerrarse. Encerrados en aquella semioscuridad, Sara sintió un escalofrío.

–Aquí estamos –dijo Kain y salió del coche.

Odiaba tenerla allí. Sara podía sentirlo. Aquél era un sitio especial para él y detestaba tenerla a su lado. ¿Hasta dónde estaba dispuesto a llegar para proteger a su primo?

¿Qué se sentiría si aquel instinto protector fuera dirigido a ella? Eso no iba a ocurrir. Ella era el enemigo, la intrusa, la extraña indeseada. Sintiéndose más sola que nunca, se resistió a la tentación de quedarse allí. No le extrañaría que la dejara allí. O que la sacara tirando de ella.

Aquello la hizo estremecerse, consciente de su vulnerabilidad. Apretó los dientes, abrió la puerta y salió antes de que él llegara a su lado. Luego, alzó la barbilla desafiante.

Kain abrió el maletero y sacó la mochila y su bolsa de viaje.

–¿Estás lista?

Sara sintió un nudo en la garganta. Aquella palabra tenía varios significados y se asustó de sus implicaciones.

–Tan lista como me es posible –dijo y tragó saliva.

Dentro, la casa era tan espectacular como su exterior y Kain la llevó a un amplio salón, cuyas cristaleras daban a una gran terraza de madera con vistas a la playa. Luego, dejó la mochila y su bolsa en el sofá y abrió las cristaleras. Una bocanada de aire fresco y salino entró en la estancia.

Sara salió a la terraza y respiró hondo, sintiéndose exultante ante la inmensidad de la naturaleza. Las olas rompían en la arena oscura, levantando una cortina de vapor que se quedaba oscilando como un velo.

–¿Qué tal se te da nadar? –le preguntó Kain a su espalda.

–Muy bien –dijo ella–. Pero nunca he nadado en unas olas como éstas.

–Es diferente. ¿Te da miedo?

No de las olas, pensó, pero no lo dijo en voz alta. Lo que le daba miedo era él. Si de algo estaba asustada, era de su reacción hacia él. La hacía sentir como si fuera otra, una mujer sin control sobre sus sentimientos y actos. Como su padre cuando estaba borracho. Y aquello era insoportable.

–Miedo no, pero tendré que ser cautelosa.

–En ese caso, no tendrás problema. De todas formas, no permitiré que te ahogues –dijo y tomando la mochila, le señaló hacia la puerta–. Los dormitorios están por aquí. El mío es el primero a la derecha. Ven y elige el que quieras para que te haga la cama.

La idea de que le hiciera la cama era perturbadora y enseguida la apartó de su mente.

–No hace falta que lo hagas –dijo ella, sorprendida de que no tuviera servicio doméstico–. Dime dónde tienes las sábanas y la haré.

–¿Te has resignado a tu situación, Sara?

¿Cómo lograba hacer que su nombre sonara como el preludio de seducción?

–No –respondió.

Si pensaba que iba a elegir la habitación más lejana a la suya, estaba equivocado. Eso habría sido demasiado evidente. En aquel momento, necesitaba toda la dignidad que pudiera reunir. De las cuatro habitaciones eligió la segunda en distancia.

Una vez se marchó, abrió las puertas que daban a la terraza y salió fuera. La habitación tenía unas vistas fantásticas al mar, por encima de las copas de los árboles que rodeaban la playa. Acababa de poner su mochila en una silla cuando Kain regresó con sábanas y toallas, que dejó sobre la cama.

–Esa puerta da al cuarto de baño –dijo señalando–. Es de esta habitación, así que no tendrás que compartirlo conmigo.

–No sabes cuánto me alegro de oír eso –dijo tratando de no pensar en él en la ducha, con las gotas de agua deslizándose sobre su piel bronceada.

Él sonrió, carismático y divertido, como si pudiera leer su mente.

–Imagino que serías capaz de soportarlo con tu admirable ingenio.

–Gracias –dijo ruborizándose y al ver que Kain apartaba la colcha, rápidamente añadió–. Ya te he dicho que yo misma me haría la cama.

Se quedó mirándolo, deseando que saliera de la habitación y le diera un respiro para poder recuperar sus defensas. Kain inclinó la cabeza.

–Entonces, nos vemos en veinte minutos.

De alguna manera, había conseguido que pareciera una orden. Resentida, lo observó salir de la habitación y bajó la mirada para ocultar la mezcla de frustración y algo traicionero que reconoció como deseo.

Miró su reloj y comprobó que tenía tiempo para darse una ducha, además de sacar la ropa y de hacer la cama.

Colgó la ropa en el enorme armario y después tomó las toallas para dirigirse al cuarto de baño. Al entrar contuvo una exclamación: una de las paredes del baño era de cristal.

Sorprendida, se acercó y miró hacia fuera. Era una zona privada que no daba a ninguna terraza ni a ninguna otra parte de la casa. Su mirada se paseó por el mar y el cabo. El punto más alto del acantilado desafiaba la vasta extensión del océano. Podía sentirse la fuerza del paisaje y el intenso poder del eterno conflicto entre la tierra y el agua. ¿Era aquella la razón por la que Kain había construido la casa allí?

–No –dijo en voz alta, girándose para descartar la idea.

Eso supondría que tenían algo en común y sabía que no era así. Todo lo que había ocurrido en aquel día tan increíble que habían pasado juntos, le había enseñado que no tenían nada en común: ni valores, ni creencias, ni aspiraciones. Nada.

Aparte de cierta atracción sexual, se recordó.

Una vez hecha la cama, se quitó la ropa y se duchó, evitando mojarse el pelo para no pasar el ridículo de salir con el pelo mojado. Luego, se puso unos vaqueros y una camiseta rosa.

Se quedó pensativa, dudando si salir sin maquillaje. Para ella, los cosméticos servían para algo más que mejorar el aspecto. Hacían de barrera, un sutil y discreto escudo tras el que ocultarse. Se aplicó lo mínimo, un poco de base y pintalabios del mismo color que su camiseta.

Al mirarse por última vez en el espejo, frunció las cejas. ¿Pensaría Kain que había elegido aquella camiseta porque enseñaba más piel de la cuenta? ¿Estaría enviando un mensaje equivocado con aquel discreto escote?

Volvió a mirar el reloj y comprobó que no tenía tiempo para cambiarse. Por alguna razón, le era imprescindible no tardar más de los veinte minutos que le había dicho. Preparada para la batalla, salió.

La puerta del salón estaba abierta. Después de unos segundos de duda, se cuadró de hombros y entró.

—Justo a tiempo —dijo Kain, levantando la vista de una bandeja—. ¿Quieres vino o prefieres algo más fuerte?

—Tomaré vino, gracias —dijo, incómoda al verlo con unos vaqueros como los suyos y una camiseta que dejaba adivinar sus hombros fuertes y sus estrechas caderas.

Para ocultar el pulso de su corazón, se acercó a la

terraza. Las puertas de cristal eran correderas empotradas, y el salón y la terraza se convertían en una sola estancia. Aunque tenía casi la misma vista que su dormitorio, estaba protegido de la brisa.

–Espero que te guste –dijo viniendo desde detrás–. Se hace con *viognier*, una uva que es nueva en Nueva Zelanda. Todavía no sabemos cómo tratarla, pero es un buen vino.

–Gracias –dijo y después de dar un sorbo a su copa, añadió–. Es muy agradable. ¿Es de tu viñedo?

La cabeza le daba vueltas y necesitaba sacar algún tema de conversación.

–De uno de ellos –respondió.

Ella se sonrojó y Kain se sintió irritado por el tono despreocupado de su respuesta.

Había tenido la suerte de crecer en un entorno desahogado y de tener unos padres de fuertes convicciones sobre la honestidad y las virtudes del esfuerzo. ¿Cómo habría terminado si se hubiera visto privado del apoyo de sus padres y sin unos valores morales?

No era que el alcoholismo del padre de Sara fuera la excusa para sus intentos de chantaje o para aceptar el anillo de diamantes de Brent, quien debía de ser una presa fácil para ella.

¿Se estaba dejando seducir, cayendo en la trampa de pensar que la redimiría de sus pecados?

–Tengo varios viñedos –añadió Kain moderando su tono de voz.

Sara dio un sorbo al vino. Quizá fuera uno de aquellos hombres ricos que tenía como afición producir vino.

Por alguna razón era difícil asociarlo con una afición. Aquella palabra parecía demasiado vulgar para un hombre que la estaba obligando a simular una aventura amorosa para salvar a su primo de sus supuestas maldades. Bajo aquel aspecto tan atractivo, había algo oscuro, una crueldad que junto a su brillante inteligencia lo había llevado hasta la cima de los negocios en muy poco tiempo.

Tenía que reconocerle el mérito. A regañadientes, incluso admiraba su preocupación por Brent.

Su estómago dio un vuelco al pensar en las siguientes semanas.

–Producir vino es una afición de ricos –dijo ella.

Kain se encogió de hombros.

–No necesariamente. Conozco a algunos propietarios de viñedos que lo único que ponen es su pasión y mucho trabajo. Algunos lo están haciendo muy bien, abriendo tiendas especializadas que le están haciendo la competencia a los grandes productores.

Muy a su pesar, Sara estaba interesada.

–¿Tus vinos se venden en esas tiendas?

–De momento, sí –contestó–, pero tenemos idea de crecer. Ya veremos hasta dónde llegamos. Además de organizar eventos, ¿qué ves en tu futuro?

Ella alzó la copa a modo de brindis.

–Confío en que pueda mantenerme lejos de problemas –contestó Sara, deseando al instante no haber dicho aquellas palabras.

Él arqueó una de sus cejas.

–Parece una ambición muy limitada y fácil de conseguir. Todo lo que tienes que hacer es resistir la tentación.

Sara esbozó una sonrisa burlona.

–Así de simple.

–Mientras estés conmigo, será mejor que sea así.

Su fría determinación la hizo estremecerse.

–Hay un problema con eso.

–¿De qué se trata? –preguntó él después de unos segundos.

–Parece que se te da muy bien sacar conclusiones –dijo ella manteniéndole la mirada–. Sé cuando me están acosando y no voy a hacer nada estúpido. Pero, ¿cómo sé que no vas a salir con otro de mis supuestos pecados del pasado para obligarme a hacer algo que no quiera?

–Depende de qué más cosas hayas hecho. Si no hubieras chantajeado, no me habría podido aprovechar. Por cierto, ¿cómo conseguiste que Frensham devolviera el dinero que les habías sacado a sus clientes?

Sara sintió que todos los músculos de su cuerpo se tensaban. Así que lo sabía. ¿Cómo? ¿La había puesto a prueba al referirse sólo a falsificaciones?

Con amargura, se dio cuenta de que había caído en la trampa como una idiota, permaneciendo en silencio para salvar el poco orgullo que le quedaba, reforzando su creencia de que había sido ella la autora.

–¿Aprovechar? –repitió Sara con desdén–. Un término interesante, mucho más empresarial que chantaje.

Kain se encogió de hombros.

–Entiendo lo que habrá sido crecer en la pobreza, con un padre borracho que…

–No sabes nada de él –le interrumpió–. Sí, era un alcohólico, pero se esforzó en dejarlo y en ser la clase de hombre que quería ser.

Con cada intento, había caído en un infierno más profundo, culpándose por todo lo que no podía darle. Pero de algo estaba segura: la había querido mucho.

El estrés de todo el día parecía haber hecho mella en Sara. Enfadada por haber perdido el control y

consciente de que Kain la estaba mirando con lástima, respiró hondo y levantó la cabeza. Con orgullo, lo
miró a la cara, tratando de recomponer la poca dignidad que le quedaba.

–Y nunca robó –concluyó más tranquila–. Era el
hombre más honesto que jamás he conocido.

–Una lástima que no siguieras su ejemplo –replicó
Kain sin alterar la voz.

Capítulo 7

NO tengo que escuchar tus insultos –dijo Sara.
La ira de Kain estalló.

–Ni yo tengo que escuchar más mentiras.

–Entonces, no vuelvas a sacar ese tema.

Trataba de disimular la desesperación en su voz.
¿Por qué le era tan importante que la creyera?

Además de la consternación natural por ser acusa-
da de algo que no había hecho, había algo más profundo en su reacción. Indignada y desconcertada, se
dio cuenta de que lo que quería desesperadamente era
que Kain comprendiera que era incapaz de robar al
hombre que le había dado trabajo.

Aquella necesidad no tenía nada que ver con la
atracción sexual que había entre ellos. Era algo más
íntimo y, por tanto, más peligroso.

–No tengo ninguna intención de hacerlo –dijo él–.
Pero quiero que sepas que si me das un motivo, no
dudaré en hacer realidad mis amenazas.

–¿De veras no te das cuenta de que esto no va a
funcionar? –preguntó ella impasible–. Me gustas tan
poco como yo a ti. Todo el mundo, incluyendo Brent,
se dará cuenta de que eso es un montaje.

–No lo creo –dijo él tranquilamente.

Al ver que lo miraba fijamente, sonrió y se acercó
a ella. Sara tragó saliva.

–¡No!

Pero ya era demasiado tarde. Él tomo la copa de vino de sus dedos temblorosos y la dejó en la mesa. Un extraño deseo la consumía, robándole todo pensamiento cuerdo. Desesperada, lo miró a la cara.

Cuando su boca se acercó a la suya no se movió. La besó con tanta pasión, que encendió el fuego en su interior y las piernas le fallaron. Él gimió y la atrajo hacia sí para que sintiera el poder de su cuerpo, el deseo potente y erótico que despertaba en él.

Cuando Kain alzó la cabeza, fue ella quien dejó escapar un pequeño sonido, como un ruego para que continuara.

–¿Qué tienen que ver los gustos con esto? –preguntó Kain antes de que Sara pudiera sentirse avergonzada y volvió a besarla.

Lo rodeó por el cuello y abrió los labios. Esa vez, él descendió por el cuello hacia el hombro y continuó besándola.

Una oleada de placer animal al sentir sus dientes en su piel, la hizo comprender lo que de verdad significaba la palabra «deseo». Luego, Kain jugueteó con el lóbulo de su oreja, acariciándola con su aliento. Sara pensó que en aquel momento era diferente, alterada de alguna manera por la experiencia de aquel hombre en el arte de la seducción.

Cuando la tomó en brazos, no se resistió. En vez de eso, hundió el rostro en el ángulo de su cuello y respiró el aroma de su cuerpo, regodeándose en una estúpida sensación de protección.

Sus brazos la rodearon con más fuerza al dejarla sobre el enorme sofá de cuero. Ante la evidencia de su fuerza, una pizca de sentido común trató de emerger, pero en cuanto la hizo levantar la barbilla, desapareció. Perdida en las profundidades de sus ojos, sintió que su corazón daba un vuelco cuando deslizó un dedo por debajo del escote de su camiseta.

–Te he quitado la pintura de los labios –dijo con su voz áspera–. ¿Para qué te pones eso? Tus labios ya son suaves y rojos y no les hace falta nada más.

Todos sus nervios se agitaron al sentir que su mano se deslizaba un poco más bajo el tejido de su camiseta. No se había dado cuenta de en qué momento se le había subido y ahora su otra mano descansaba sobre la piel expuesta de su vientre.

–Me gusta el color –respondió embobada y se ruborizó al ver que Kain sonreía.

¿Qué le pasaba a su voz? Era una mezcla de sensualidad y duda que nunca antes se había oído.

Volvió a besarla y, de repente, le estaba acariciando el pecho, provocando más llamas en su cuerpo con sus suaves caricias.

Sara contuvo la necesidad de estrechar su cuerpo contra el de él, pero fracasó. La respuesta de Kain fue instantánea: la colocó sobre su regazo haciéndola sentir la firmeza de su pene. Subió la mano y acarició su otro pecho.

–Parece que estamos dando de sí la tela de esta camiseta tan bonita. ¿No estarías más cómoda si te la quitaras? –preguntó Kain mirándola.

Se quedó a la espera de su respuesta, consciente de que le estaba dando una salida. ¿Se la quitaría? Tenía los ojos ocultos tras las pestañas, sus mejillas estaban encendidas y los labios sensualmente hinchados.

De todas formas, no quería reproches más tarde, ni acusaciones de haber sido seducida a la fuerza. A pesar de lo sexy y deseable que era, no confiaba en ella. Iba a hacer que consintiera cada avance.

Todos los músculos de su cuerpo estaban tensos por la ansiedad. La deseaba con desesperación.

—¿Sara? —la llamó al ver que no decía nada.

Ella sonrió, levantando las cejas.

—Las camisetas suelen darse de sí —susurró.

Era una respuesta inteligente. Ni sí ni no. Paradójicamente, la mente rápida de Sara aumentó el deseo que había ido acumulándose desde que pusiera los ojos en ella por primera vez. Pero no iba a dejar que se saliera con la suya.

—Contéstame, Sara.

Se quedó pensativa unos instantes, mordiéndose el labio inferior.

—Supongo que la respuesta es que sí —murmuró.

Aquella era la respuesta más directa que iba a conseguir de ella y se quedó esperando a que se quitara la prenda.

Pero el único movimiento que hizo Sara fue volver a hundir el rostro en su cuello.

—Ponte derecha.

Ella obedeció. Al quitarse la camiseta por la cabeza, la visión de su cuerpo produjo un caos en todas sus células. Kain evitó dejar escapar una exclamación y el impulso de apretar las manos. Lo último que quería era dejarle marcas en la piel. Era esbelta y sinuosa, y el rubor de su piel se había extendido hasta el borde del delicado tejido de seda que protegía sus pechos turgentes.

¿De veras no era tan experta como pretendía?

El deseo primitivo de ser el primer hombre que la iniciara en los deleites de la pasión lo pilló por sorpresa. Incluso al tratar de controlarlo, no pudo evitar recrearse en ese pensamiento.

Pero Sara no era virgen.

Otra oleada de fuego sacudió a Sara al sentir la mirada de Kain en su cuerpo. Aunque había idealizado a Derek pensando que sus caricias significaban que la amaba, nunca la había hecho sentir de aquella manera, tan salvaje y tan libre, tan ardientemente entregada.

—Eres preciosa —susurró Kain.

Una sonrisa curvó sus labios. Derek solía decirle las mismas palabras, pero todo había sido mentira. Al igual que lo había sido decirle que lo amaba. La soledad que había sentido en aquel momento, la había llevado a su cama en busca de cariño y protección.

No volvería a cometer el mismo error otra vez.

Al menos Kain no hacía falsas promesas ni fingía. No le gustaba, pero su pasión era sincera y real, y ella lo deseaba tanto…

Una sacudida de pasión la estremeció, haciendo desaparecer todas sus reservas y sus miedos.

—¿Por qué no te quitas la camisa? —preguntó Sara con voz sensual.

Con los ojos centelleando, la soltó y se inclinó hacia atrás en el sofá, extendiendo los brazos.

—¿Por qué no me la quitas tú? —la retó.

Sus manos temblaron al rozar la tela y empezar a levantarla. Evitando su mirada, Sara se recreó en la piel bronceada que fue surgiendo al tirar de la camisa. Kain levantó los brazos e inclinó la cabeza hacia delante mientras ella se la quitaba. Después, la dejó caer al suelo.

Luego, se quedó quieta. La cabeza y los sentidos le daban vueltas y no sabía qué hacer.

Él rió. Parecía haberse dado cuenta de su indecisión porque la tomó de la mano y se la llevó al corazón.

–¿Qué sientes? –preguntó Kain.

Los fuertes latidos de su corazón bajo la palma de su mano.

–Tu vida –susurró.

Se inclinó y lo besó en el pecho, dejando que sus labios disfrutaran de su piel. Luego, suavemente lo lamió. Su sabor, salado y delicioso, llenó su boca.

Sara gimió al sentir que su sujetador se soltaba. Kain la hizo incorporarse y la besó entre los pechos, provocando que su corazón se acelerara al sentir la caricia de sus labios.

–Ahora siento la tuya –dijo él–. Tu sabor es como el de un exótico afrodisíaco.

La rodeó con los brazos y atrajo uno de sus pezones hacia su boca.

Sara contuvo la respiración, cerrando los ojos mientras se entregaba al placer de su boca. Se aferró con fuerza a él mientras una descontrolada excitación se apoderaba de ella.

–Kain –susurró.

Apenas podía articular palabra.

Él levantó la cabeza.

–Sí.

¿Era aquella palabra un desafío?

No, pensó, la hora de los desafíos ya había pasado. Sus ojos se encontraron. Los de ella, oscuros e interrogantes. Los de él, medio cerrados y exigentes. Por un instante, Sara trató de buscar su sentido común, pero enseguida, con un atrevimiento que nunca antes había conocido, desechó la idea.

Sólo por aquella noche…

–Última oportunidad, Sara –dijo Kain entre dientes.

–Sí –dijo ella con una sonrisa temblorosa.

Él sostuvo su mirada hasta incomodarla y luego la sorprendió con un beso largo y tierno que se convirtió en voraz cuando empezó a desabrocharle los vaqueros. Al cabo de unos segundos, estaba sobre su regazo vestida con tan sólo una prenda.

Con la boca junto a la de él, se estremeció al sentir las caricias de sus dedos en la piel. La sensación se extendió por todo su cuerpo. Kain besó su otro pecho, antes de hacerlo suyo.

—Es tu turno, Sara.

Ella se quedó mirándolo. Una extraña sonrisa se dibujó en los labios de Kain. Le tomó una mano y se la llevó hasta los vaqueros. Ella se sonrojó al buscar la cremallera y deseó que hubiera una manera más sencilla de hacer aquello.

Él esperó mientras encontraba el cierre y acarició su pelo, soltándolo y dejándolo caer sobre los hombros.

—Es suave como la seda —dijo con voz profunda y se movió para desprenderse de la ropa.

Sara se quedó sin respiración. Kain era un todo un dios, fuerte y bronceado, pensó mientras reparaba en sus músculos y en el vello de su pecho que parecía señalar el camino hacia abajo.

—Necesito ir a por protección.

—No, está bien —dijo encontrándose con sus ojos—. Hay otros motivos para tomar píldoras anticonceptivas, aparte de para evitar tener bebés.

Kain estudió su rostro.

—Aun así, sólo para estar seguros…

Vio cómo se enderezaba y luego se inclinaba para tomarla en brazos.

—Además —añadió dirigiéndose hacia la puerta—, estaremos más cómodos en una cama. Ser tan grande es a veces una desventaja.

–No eres tan grande –protestó ella y acarició su hombro, observando cómo se tensaban sus músculos–. Eres alto y…

Perfecto.

–¿Y qué? –preguntó él, con un brillo pícaro en los ojos.

–Y muy masculino –respondió Sara, diciendo lo primero que se le vino a la cabeza.

Cruzaron la puerta y entraron en el dormitorio de Kain. Luego, la dejó sobre la cama.

Allí era donde guardaba los preservativos, como no podía ser de otra manera. De repente se sintió intimidada y cerró los ojos.

¿A cuántas otras mujeres les habría hecho en amor en aquella habitación?

La pregunta continuó dando vueltas en su cabeza hasta que se acercó a ella y volvió a sentirse embriagada de su calidez y su olor. Al sentir su boca sobre la suya, todos los pensamientos desaparecieron y volvió a sentirse prisionera de su deseo.

De alguna forma, se las había arreglado para quitarle la última prenda que la cubría sin que se diera cuenta.

Sara se estrechó contra él y sintió que su mano se deslizaba hasta la zona sensible de su entrepierna.

–Mírame, Sara.

Ella frunció el entrecejo y mantuvo los ojos cerrados. Sentía sus besos en los párpados y, de nuevo, volvió a oír su voz autoritaria.

–Abre los ojos.

–¿Por qué?

–Porque quiero que me mires.

Aturdida, casi desesperada por el deseo y el miedo, separó los párpados lo suficiente como para verlo.

Él la estaba mirando y sonrió.

–Sara.

–Kain.

Él volvió a besarla y parpadeó varias veces seguidas mientras su cuerpo se agitaba ante sus caricias, expertas y peligrosas.

Nunca antes se había rendido tan desesperadamente al deseo, pensó mientras le sobrevenían las sacudidas de placer.

–Las mujeres superan a los hombres en esto. Veamos cómo continuamos –dijo, sorprendiéndola.

Sara pensaba que buscaría su propia satisfacción y eso sería todo. En vez de eso, continuó acariciándola y besándola con tanta intensidad que enseguida el deseo volvió a estar presente. La pasión que despertaba en ella, la hizo arquearse.

Cuando no pudo seguir soportando el deseo, Kain la penetró lentamente, haciéndola gemir. Sara se aferró a sus hombros, sintiendo sus músculos tensos mientras él intentaba controlarse.

Con admirable paciencia, Kain fue avivando su pasión. Con cada embestida, Sara se sentía más y más cerca de algo que nunca había conocido, ni siquiera cuando había creído llegar a la cima entre sus brazos. Se oía pronunciando su nombre, deseando alcanzar un fin que no llegaba a alcanzar. Sus temblorosas palabras resonaban en su cabeza.

Kain dijo algo ininteligible y empezó a moverse más y más deprisa hasta que las sacudidas de éxtasis se apoderaron de ella. Al momento, Kain la siguió, dejando escapar un profundo gemido antes de dejarse caer sobre ella.

–Te estoy aplastando –dijo él al cabo de unos segundos.

–No –dijo y, en un acto reflejo, estrechó los brazos alrededor de él.

Pero él rodó a su lado, sin dejar de abrazarla. Sara se dio cuenta de que estaba llorando. Unas tímidas lágrimas escaparon de sus ojos. Parpadeó y se concentró en los movimientos de su pecho al respirar.

Más tarde, se dio cuenta de que se había quedado dormida porque al despertarse comprobó que la estaba llevando en brazos.

–¿Qué…? –comenzó a decir aturdida, preguntándose dónde estaba.

–Está bien. Te llevo a tu cama.

Parecía distante, como si sus pensamientos estuvieran en otro sitio. El rechazo le resultaba doloroso, pero era lo más adecuado. Prefería despertarse sola a la mañana siguiente que verse obligada a enfrentarse a él después de pasar la noche juntos. Era algo mucho más íntimo que haber compartido el desenfreno de sus cuerpos, por muy placentero que hubiera sido.

Pero una vez en su cama, no pudo dormir. Trataba de encontrar sentido tanto a sus pensamientos como a sus sentimientos. Cubierta tan sólo con una sábana, el sonido de las olas al romper en la playa invadía la habitación.

Hacer el amor con Kain había sido muy diferente a las apresuradas e insatisfactorias experiencias que había compartido con Derek: besos y caricias urgentes, seguidas de la penetración, todo ello en apenas unos minutos. Eso hacía que se quedara pensando por qué la gente le daba tanta importancia a un acto tan rutinario.

Al principio, Kain había sido cuidadoso, casi tierno, como si pensara que todo aquello era nuevo para ella. La había hecho sentir querida…

Y luego, la había hecho sentir salvaje y desesperada, deseosa de entregarse a las sensaciones que provocaba en ella. Le ardió la piel al recordar cómo se
había rendido a su olor, sabor y caricias, y cómo había acabado perdiéndose en la pasión.

Había sido una experiencia estremecedora.

Sara sacudió la cabeza. Lo único que habían hecho era hacer el amor. La gente lo hacía todo el tiempo. No suponía nada si se hacía sin sentimientos.

Sin ninguna duda, Kain no sentía nada más que
desprecio por ella. Para él, seguramente había sido un
acto de dominación. Se había asegurado de que ella
llegara a la cima antes, esperando a alcanzar su propia
satisfacción mientras la hacía retorcerse entre sus brazos. Kain era mucho más listo que Derek, además de
más cruel. Quizá quería que se enamorara de él para
que fuera más dócil. ¿O quizá para que fuera más fácil convencer a Brent de que no tenía ninguna posibilidad?

Sí, aquello tenía sentido.

Se revolvió entre las sábanas, tratando de alejar
aquellos pensamientos de su mente.

Aun así, no podía olvidar el cuidado con el que
Kain la había tomado entre sus brazos, la suavidad
con la que le había apartado un mechón de pelo de la
cara,...

Iba a volverse loca. Se tumbó bocarriba y se quedó con la mirada clavada en el techo. Quizá la confu-
sión la había embargado, se debía a aquel lugar. No,
era una estupidez culpar de su actitud al paisaje.

Intranquila, se levantó de la cama y corrió las cortinas para ver el romper de las olas. La luna no brilla-
ba esa noche y apenas había nubes en el cielo, que estaba cuajado de estrellas.

La brisa agitaba los árboles que rodeaban la casa, haciendo que las hojas reflejaran brillos plateados en mitad de la oscuridad.

Se quedó allí un rato en busca de tranquilidad, y lo único que encontró fueron más preguntas. De pronto, vio un movimiento en la playa.

Al instante, supo que era Kain. Su corazón comenzó a latir con fuerza. Entrecerró los ojos, fijándose en la poderosa silueta de su cuerpo entre los reflejos del agua.

Así que él tampoco podía dormir.

A toda prisa, soltó la cortina y se metió en la cama, a la espera de que regresara a la casa. Al final, oyó unos ruidos y, a pesar de que su sola presencia la aturdía, acabó quedándose dormida.

Al despertarse a la mañana siguiente, supo que no podía volver a hacer el amor con él. Era demasiado peligroso.

Se puso unos vaqueros blancos y una camiseta de manga larga, puesto que había refrescado.

No, lo cierto era que se sentía más segura cubriéndose. Después de hacer la cama, respiró hondo y salió de la habitación.

No le resultó de ayuda encontrarse la ropa que llevaba la noche anterior perfectamente doblada ante su puerta. Ruborizada, la recogió y volvió a su dormitorio. Se quedó de pie, mirando a su alrededor sin saber qué hacer. Después de unos segundos, sacó una bolsa de plástico y metió la ropa.

Se quedó un par de minutos quieta, respirando hondo, antes de volver a recuperar las fuerzas para salir y enfrentarse a Kain.

Capítulo 8

EL delicioso aroma a beicon dio la bienvenida a Sara al abrir la puerta de la enorme habitación que hacía las veces de salón y comedor. Hasta entonces, no se había dado cuenta de que había caído rendida en los brazos de Kain antes de cenar y enseguida fue consciente del hambre que tenía.

Kain se giró al oírla llegar. Sus rasgos se veían endurecidos por la luz matutina.

–Buenos días. Espero que te gusten los huevos y el beicon.

–Sí, mucho, gracias.

Su voz era controlada y algo reservada, muy diferente a la voz entrecortada de la noche anterior. Intrigada, vio cómo se desenvolvía con destreza en la cocina.

–Bien. ¿Quieres comer aquí o prefieres en la terraza?

–En la terraza –respondió sin dudarlo–. Dime dónde están las cosas e iré poniendo la mesa.

Sara dio las gracias a las pequeñas faenas diarias y a la charla que gracias a ellas surgía y que tantos silencios llenaban.

Acabó de poner la mesa y le preguntó dónde estaba la sal y la pimienta. Luego, cortó unas flores de una maceta de la terraza y preparó un zumo de piña y fruta de la pasión. Para cuando terminó, se sentía más tranquila.

Excepto cuando su mente recordaba lo que había sentido la noche anterior, asaltándola con sensaciones descontroladas que deseaba desaparecieran.

No le servía de consuelo verlo al mando de la situación. Sin duda alguna, había hecho aquello cientos de veces. Después de todo, había tenido varias relaciones serias y prepararle el desayuno a una mujer no debía de ser ninguna novedad para él.

Por el contrario, ella nunca había pasado la noche con un hombre. Derek siempre se marchaba después de hacer el amor.

—Debes de estar muerta de hambre —dijo Kain.

—Lo estoy —admitió.

Era un buen cocinero. Los huevos, el beicon y los tomates asados tenían muy buen aspecto.

—¿Por eso estás tan inquieta? —preguntó mientras se sentaba frente a ella.

Su apetito desapareció.

—No sé qué hay que hacer después de acostarme con un hombre que no sólo me detesta, sino que me toma por una delincuente —dijo y al instante se arrepintió de sus últimas palabras—. Discúlpame si soy torpe.

—¿Te arrepientes, Sara? —preguntó Kain arqueando una de sus cejas.

—No puedo evitar pensar que anoche hice una de las cosas más estúpidas que he hecho en mi vida.

—Y has hecho muchas tonterías —afirmó él—. Una de ellas ha sido no negar que tu supuesto delito fue mentira.

—¡Qué estúpida soy! —dijo ocultando su dolor tras

una sonrisa–. Pero obligarme a pasar por esta situación te hace tan malvado como crees que soy.

–No te hice chantaje para meterte en mi cama.

Todo su cuerpo se puso tenso. Aunque Kain había pronunciado aquellas palabras con tranquilidad, era evidente que había dado en el clavo con su acusación.

–Estoy de acuerdo.

–Y si piensas decirme que no quieres volver a hacer el amor, ésa es una decisión que yo ya he tomado –dijo él con expresión imperturbable–. ¿Tostadas?

–Gracias.

De nuevo, se veía salvada por los convencionalismos de la vida diaria. Aun así, había algo en el ambiente que le advertía de que no forzara las cosas.

–Esto está delicioso –añadió–. ¿Dónde aprendiste a cocinar?

–Mi tía pensaba que todos los hombres debían saber cocinar al menos un plato y preparar un desayuno completo, además de saber hacer una buena ensalada.

–Una mujer sabia.

¿Se trataría de la madre de Brent? Éste parecía alimentarse exclusivamente de hamburguesas y plátanos.

Kain sonrió.

–Como viví con ella y con Brent después de que mis padres murieran, se preocupó de que aprendiera a hacer las cosas según su criterio.

–Entiendo.

No había duda de por qué era tan protector con su primo. Se sentía como su hermano mayor.

El rostro de Kain permaneció impasible.

–Un accidente de coche –dijo él, adivinando la pregunta que no se atrevía a hacerle.

–¿Dónde estabas tú?

–En el asiento trasero, con el cinturón puesto, así que lo único que sufrí fueron algunas magulladuras. Estaban discutiendo y mi madre hizo uno de sus aspavientos. Sin quererlo, golpeó el volante con una mano. El coche se fue al otro lado de la carretera y cayó por un barranco.

Kain se detuvo, preguntándose por qué estaba explicando aquello. Nunca antes se lo había contado a nadie, ni a su tía ni a los investigadores que habían tratado de descubrir el motivo del accidente.

Allí estaba contándole sus intimidades a una mujer a la que despreciaba y en la que no podía confiar por muchos motivos. Y aunque había decidido durante la noche que no iba a volver a hacerle el amor, por alguna razón había tenido que controlar el arrebato de ira que había sentido al saber que ella había tomado la misma decisión.

Su tranquilidad debería haber aumentado su desconfianza. Lo irónico era que lo único en lo que podía pensar era en su salvaje pasión y en su completa entrega.

Kain era incapaz de leer sus pensamientos. Su rostro provocativo ocultaba sus sentimientos. Trató de pensar en el anillo de diamantes que Brent le había regalado, aunque Sara le había dicho que su primo no estaba enamorado de ella. También estaba la traición al viejo que le había dado un empleo cuando nadie más lo había hecho.

Si aquello era verdad…

La pregunta saltó a su cabeza. Su jefe de seguridad no había podido dar con Derek Frensham. Pero estaba la mujer que había sido chantajeada, Gwenneth Popham. Al poco del incidente, se había mudado de distrito y ya entonces era mayor, por lo que era posible que hubiera muerto. Aun así, había ordenado a sus hombres que siguieran buscando.

—Es una lástima que el último recuerdo de tus padres sea tan triste —dijo Sara con empatía.

Kain se encogió de hombros, apartando aquel momento de debilidad en el que había deseado que su inocencia quedara probada.

—Tengo muchos recuerdos felices. Mi madre tenía mucho temperamento, pero hubiera dado su vida por mi padre y por mí.

—Nunca conocí a mi madre —dijo dejando el cuchillo y el tenedor y fijando la mirada en las dunas de la playa—. Al parecer, cuanto se enteró de que estaba embarazada, no quería tenerme. Mi padre la convenció y, nada más nacer yo, se fue.

Kain sintió una extraña sensación de lástima. Si aquello era cierto, eso podía explicar muchas cosas.

No había planeado acostarse con ella tan pronto, aunque no suponía ninguna diferencia. Era evidente que Sara lo deseaba y hacer el amor lo había confirmado. Cuando Brent regresara, no iba a tener ninguna duda de que eran amantes.

—Pero uno no extraña lo que nunca ha tenido. Siento lo de tus padres.

Su mirada transmitía comprensión y su voz sonaba sincera.

—Pasó hace mucho tiempo —dijo Kain.

Sabía que estaba siendo brusco, pero incluso ahora, el recuerdo del grito de su madre al caer por el barranco, le ponía los pelos de punta.

El súbito sonido de un motor hizo que ambos giraran la cabeza.

—¿Qué demonios es eso? —dijo Kain y se puso de pie de un salto.

El vehículo pasó junto a la casa en dirección a la playa. Era un quad con tres adolescentes subidos a él.

–¿Quiénes son? –preguntó ella.

–Nadie debería estar aquí.

Kain entró en la casa y cuando Sara hizo lo mismo, lo oyó hablar por teléfono.

–…nunca daría permiso para que unas motos usaran la playa o las dunas –estaba diciendo e hizo una pasusa para escuchar a su interlocutor–. No, ya iré yo.

Colgó el teléfono y le dijo a Sara que se quedara allí.

–Iré contigo –afirmó ella, después de pensárselo unos segundos.

–No te necesito –dijo él cortante.

De pronto se oyó un grito. Era diferente a los gritos de alegría que se habían escuchado unos minutos antes. Entonces, todo se quedó en silencio, mientras un motor petardeaba.

Kain le dijo algo que no pudo escuchar y luego volvió a hablar por teléfono.

–Han volcado con la moto –bramó–. Dile a Vanessa que venga enseguida –dijo antes de colgar y girándose hacia Sara, añadió–. Ven, pero no vas a ser de ayuda. Puede que haya sangre.

La había. Se movía muy rápido para ser un hombre tan corpulento. Al ver que había dos cuerpos tendidos en el suelo, quietos, Sara se detuvo. Uno había salido despedido y el otro estaba atrapado bajo el vehículo. El tercero estaba agachado junto a la moto, tratando de sacar a su amigo, y levantó la cabeza al ver que se acercaban.

–No puedo apartarlo –dijo pálido, con voz temblorosa.

–Sara, comprueba cómo está el chico que está ahí

tendido. Comprueba su respiración y trata de cortarle
la hemorragia –le ordenó Kain.

Sara se arrodilló junto al muchacho, de unos quince o dieciséis años. Gracias a Dios estaba vivo aunque inconsciente. Su respiración era entrecortada y
eso le preocupó tanto como la herida que tenía en el
muslo y que no dejaba de sangrar.

Por un momento, pensó que iba a desmayarse. Su-
perando las náuseas y el mareo con su fuerza de voluntad, buscó algo con lo que detener la hemorragia.
De pronto, recordó lo que había aprendido en el curso
de primeros auxilios del instituto y apretó la herida,
confiando en detener el flujo.

Pero la sangre seguía saliendo. Nerviosa, estudió
su rostro. ¿Se estaba poniendo más pálido? Estaba
perdiendo tanta sangre, que la cosa se estaba poniendo cada vez más fea.

Los torniquetes eran algo muy peligroso, pero parecía que no iba a haber otra solución. Primero, inten-
taría hacer presión sobre la herida. Confiando en estar
haciendo lo correcto, se rasgó la camisa y, con ella,
apretó el desgarro de su piel.

Al cabo de unos segundos, era evidente que no estaba funcionando. Empezó a tener arcadas mientras la
sangre atravesaba la tela de la camisa.

Apretó los dientes y se alegró de llevar manga larga. Con las manos temblando, enrolló la manga en el
muslo, por encima de la herida y maldijo entre dientes al ver que la tela mojada resbalaba. Lo poco que
recordaba era que el nudo tenía que poder soltarse
con facilidad.

Después, contuvo la respiración a la espera de que
la hemorragia cesara.

–Gracias a Dios –suspiró.

Kain estaba apartando la moto del otro muchacho. Su camiseta dejaba adivinar sus músculos.

–Ten cuidado –suspiró y respiró aliviada cuando vio que lo había conseguido.

Kain se arrodilló y examinó al chico, frunciendo el ceño. El tercero estaba a un lado, respirando pesadamente y con el rostro angustiado.

Kain buscó en el bolsillo trasero de su pantalón y sacó un teléfono móvil. Unos segundos más tarde, lo apagó y la miró. En dos zancadas llegó junto a ella, se quitó la camiseta y se la lanzó.

–Toma, póntela –le ordenó–. ¿Cómo está?

–No lo sé, pero necesita algo más que primeros auxilios –respondió mientras se ponía la camiseta.

Su fragancia la embargó y por unos segundos el olor a sangre remitió. Luego, volvió a atender al chico que yacía en el suelo.

–Creo que tiene una fractura y está perdiendo sangre muy deprisa. Le he hecho un torniquete, pero no sé durante cuánto tiempo puede tenerlo.

Reparó en su alto tono de voz y respiró hondo. Probablemente el chico no podía oírla, pero balbucear como una idiota era estúpido y contraproducente.

–Pero lo tenemos controlado –añadió con voz segura–. ¿Cómo está el otro chico?

–Le he quitado el quad de encima. El capataz de mi granja está de camino con su esposa, que es enfermera, y acabo de llamar al helicóptero de rescate. Dicen que no movamos a ninguno.

El muchacho que estaba con Sara empezó a moverse y abrió los ojos asustado.

–¿Mamá? –murmuró y volvió a cerrar los ojos.

–¿Cómo se llama? –preguntó Sara al otro chico, que se acercaba con Kain.

–Nigel, pero le llamamos Corky –dijo temblando.

–Corky –dijo Sara inclinándose hacia el joven, tratando de que su voz sonara firme–. Corky, vas a ponerte bien.

El chico frunció el ceño y gimió.

–Me duele –murmuró, moviendo la cabeza.

–Vas a ponerte bien –repitió Sara–. Tan sólo aguanta, Corky. Tenemos que esperar a que llegue el helicóptero. No tardará demasiado.

Sara levantó la cabeza. Kain la había dejado para volver junto al chico que había rescatado. El tercer muchacho se movía nervioso de un lado para otro y su expresión cambió al ver que bajaba una moto por la colina.

Eran el capataz y su esposa, quien se hizo cargo de la situación con gran profesionalidad. Por los fragmentos de conversación que pudo oír, Sara supo que los dos jóvenes heridos eran hermanos y estaban visitando al otro en la granja. Los atemorizados padres de éste enseguida llegaron en otro vehículo.

Corky recobraba intermitentemente la conciencia y cada vez que Sara dejaba de hablar, fruncía el ceño y giraba la cabeza hacia ella. Sara se quedó con él, animándolo a que aguantara, diciéndole que el helicóptero estaba en camino y que lo único que tenía que hacer era aguantar.

Apenas le quedaba voz cuando oyó el sonido del helicóptero acercándose. Después, todo fue un ajetreo controlado hasta que los chicos fueron subidos al helicóptero. La madre del chico ileso los acompañó. Su marido había llamado a los padres de los chicos y habían quedado en encontrarse en el hospital.

El helicóptero despegó entre una nube de arena. Sara permaneció de pie viendo cómo se alejaba el aparato, consciente del brazo de Kain, que la rodeaba por los hombros. Se relajó y se apoyó en él.

—Lo ha hecho muy bien —le dijo la esposa del capataz.

—¿Se pondrán bien?

La mujer frunció el ceño.

—No lo sé. Corky probablemente sí, pero Sandy...

El sonido de otro motor hizo que todos giraran la cabeza.

—La policía —dijo Kain.

Los agentes les hicieron preguntas y tomaron fotografías del lugar antes de marcharse.

—Creo que me vendrá bien un café —dijo Sara cuando se fueron.

—A mí también —dijo Kain y se agachó a recoger la camiseta ensangrentada de Sara—. ¿Crees que podrás recuperarla?

—Lo dudo —respondió estremeciéndose.

Él la tomó de la mano.

—Venga, vamos.

Las rodillas le temblaban y agradeció su fuerza y apoyo mientras regresaban a la casa.

—¿Crees que se pondrán bien? —preguntó Sara a punto de llegar a la casa.

—Corky probablemente, aunque tiene una herida muy fea. El otro chico está peor.

Sintió un escalofrío. Debía de haber sido horrible para Kain. Había visto a sus padres morir y, ahora, había tenido que afrontar aquello.

Era evidente que no quería hablar de ello. Llegaron en silencio a la casa y encontraron los restos del desayuno.

—Haré café y prepararé algo de comer.

—No tengo hambre.

–Haré unas tostadas. Te vendrá bien tomar algo.

–De acuerdo, gracias.

–Retiro lo que te dije de la sangre –dijo él inesperadamente–. Lo has hecho muy bien. Siento lo de tu
camiseta.

–No importa. Sólo espero haber podido ayudar. Sé
que los torniquetes no son buenos excepto en casos de
emergencias, pero no lograba detener la hemorragia
de otra manera.

La miró y le ofreció sus brazos. Sin dudarlo,
ella se acercó y permanecieron abrazados unos minutos.

Dentro de ella, la tensión disminuyó. Quizá, él
también estaba sintiendo alivio por su cercanía. El accidente debía de haber avivado el recuerdo de la
muerte de sus padres.

–Lo has hecho muy bien. Te mereces el mérito de
haber salvado la vida del joven Corky.

–Tonterías –dijo contra su pecho–. Si yo no hubiera estado ahí, habrías hecho que el otro muchacho le
hiciera el torniquete.

–Estábamos ocupados apartando la moto. Corky
se habría desangrado antes de que hubiéramos podido
atenderlo.

Sara sintió una sacudida.

–¿Cómo sabremos cómo están?

–Llamaré a Geoff esta noche. Estará informado
–dijo y la soltó–. Bueno, hagamos café y tostadas.

De nuevo, aquella voz gélida.

No podía culparlo por creer que había chantajeado
a los clientes del señor Frensham. Derek había sido
muy astuto y, puesto que no había habido ningún juicio, no había nada que la exonerara. Todavía algunas
noches se despertaba aterrorizada, recordando los

días en que había dado por sentado que acabaría yendo a la cárcel.

Ahora, deseaba tener pruebas de su inocencia y obligar a Kain a disculparse.

Aquello la asustaba, pensó mientras ambos se movían por la cocina. La opinión que Kain tuviera de ella no debía importarle. Lo último que necesitaba en su vida era enamorarse de Kain Gerard.

¿No había aprendido la lección? Se había quedado destrozada al saber que Derek la había utilizado para tener acceso a los archivos de su tío. Había caído en su trampa. Le había roto el corazón y por eso, desde entonces, había evitado cualquier complicación sentimental.

También se había sentido humillada, y la traición de Derek había mermado su confianza como mujer. Enamorarse de Kain sería un desastre que acabaría rompiéndole el corazón.

–¿Cómo te sientes? –preguntó, haciéndole girar la cabeza para mirarla–. Estás muy pálida.

Ella levantó la mirada, sintiendo que se le erizaba el vello de la nuca.

–Estoy bien, gracias. Sólo necesito un poco de cafeína.

Él mantuvo la mirada durante unos segundos más y luego se fue a buscar el periódico. Sara se quedó con la incómoda sensación de que aquellos ojos glaciales habían adivinado sus pensamientos.

Durante el resto del día, Kain se mostró amable, pero reservado. Pasearon por la playa y él le contó el proyecto de fijar las dunas con flora autóctona.

Después de comer, Kain se encerró en el estudio mientras ella se quedaba en la terraza leyendo. Cuando la luz dorada del sol empezó a darle en la cara, se levantó y se acomodó en una hamaca que había entre los árboles. Poco a poco se fue relajando hasta que se quedó dormida.

Cuando Kain volvió, frunció el ceño mientras la buscaba. Al verla dormida en la hamaca, se tranquilizó. Sintió un nudo en el estómago. La noche anterior debería haberse quedado saciado, pero seguía deseándola.

Hacerle el amor había aumentado su deseo. No se había quedado satisfecho. Sara tenía la camiseta retorcida y la piel de su cintura estaba al descubierto. Le consumían las ganas de acariciarla.

Acababa de hablar con la madre de los chicos, que le había llamado para darle las gracias.

–Sandy sigue inconsciente, pero Nigel ya se ha despertado. Dice que un ángel le dijo que esperara, que no se diera por vencido –le había dicho la mujer con voz entrecortada por las lágrimas–. Quiero hablar con ella y darle las gracias.

–Ahora no puede ponerse.

No estaba dispuesto a presentarle a Sara. Aunque había hecho todo lo posible por el muchacho, no le parecía adecuado que conociera a una mujer que se sentía en deuda con ella.

–Le daré las gracias de su parte.

–Ha salvado su vida y no me refiero sólo al torniquete. Nigel dice que él quería dormirse, pero que su voz lo mantuvo despierto y que lo único que quería era abrir los ojos para ver si era tan guapa como la imaginaba.

–Mire, señora McCorkindale, le daré las gracias de su parte –le había dicho con solemnidad–. Y por favor, manténgame informado del estado de sus hijos.

Ahora, al mirar el rostro relajado de Sara, se preguntó si estaba siendo demasiado cauteloso.

Pero reaccionar bien en una situación de emergencia no tenía nada que ver con los valores morales, pensó.

Corky se había referido a ella como un ángel.

Empezó a bajar los escalones hacia la hamaca. Sara debió de sentir su presencia porque al instante se despertó. Sonrió y lo llamó, ofreciéndole sus brazos como si él fuera todo lo que quería.

Kain sintió que la sangre se aceleraba en sus venas, pero oyó el sonido de un motor acercándose y eso lo sacó de sus pensamientos.

–Viene alguien.

Sobresaltada, Sara se levantó de la hamaca.

El visitante llegó en tractor, por lo que debía de ser alguien de la granja. Mientras Kain se acercaba a hablar con él, Sara entró dentro y se lavó la cara con agua fría. No quería mirarse en el espejo y, al oír que Kain había vuelto, salió del baño.

–Era el capataz de la granja –dijo Kain, mirándola intensamente–. Tiene permiso para llevarse la moto.

–Quiero volver a Auckland.

Él sonrió con ironía.

–Tus artimañas no funcionarán, Sara.

Ella hizo un gran esfuerzo por mantener su autocontrol y esquivó su mirada cínica.

–Me parece mezquino que continuemos con nuestra batalla mientras esos dos chicos luchan por sus vidas.

–Y a mí me parece una hipocresía utilizar el accidente como excusa –dijo y continuó para impedir que interviniera–. Muy bien, vámonos. Volvamos a mi apartamento.

Sara se mordió el labio. No tenía salida. Era una prisionera de la crueldad y tiranía de Kain y de su determinación para impedir que Brent cayera en sus garras despiadadas.

–Podría ir a la policía y contarles que me estás obligando a irme a vivir contigo. O a la prensa.

Él arqueó una de sus cejas.

–¿Y acabar en los periódicos como una histérica? –preguntó sonriendo con ironía–. Diría que tuvimos una discusión y que estabas tan enfadada que acudiste a ellos.

Permanecieron mirándose a cierta distancia. Sara sintió que la frustración crecía en su interior y su desánimo la dejó sin fuerzas.

–Supongo que estás disfrutando con esto.

–No. Si no puedes aguantar la presión, déjalo. Evidentemente, Brent es una presa fácil, pero tiene una familia que se preocupa por su bienestar y no está dispuesta a ver cómo pone en peligro su honor y el dinero que tanto trabajo le ha costado ganar.

–No tengo ninguna intención de aprovecharme de su dinero.

–Déjalo, Sara. No soy idiota. Pensé que eras lo suficientemente lista como para darte cuenta de que no hago las cosas sin razón. Ya le has sacado treinta mil dólares a Brent.

–¿Cómo?

No podía creer lo que estaba oyendo.

–¿Acaso no te ha regalado un anillo de diamantes?

Sorprendida, su cabeza comenzó a dar vueltas.

–Eso es ridículo. Claro que no.

Una vez más, la miró arqueando una de sus cejas.

–No te creo.

–Brent no me ha regalado nada –dijo alterada–.

Absolutamente nada.

Él la miró disgustado.

–Imagino que lo siguiente que vas a decirme es que no te prestó dinero cuando te echaron de tu apartamento.

Capítulo 9

NO. Y si lo hubiera hecho, se lo devolvería.
–Ya no –dijo Kain con voz todavía más insensible–. Ahora estás conmigo, ¿recuerdas?

Sara se quedó mirándolo y de pronto cayó en la cuenta.

–Eres repugnante. Brent es un caballero y no saldaría la deuda acostándome conmigo.

–En tu léxico, eso debe significar ser un imbécil. Yo no soy un caballero y me da igual qué clase de acuerdo tenías con Brent. ¿Por qué te echaron de tu apartamento?

–Me sorprende que no lo sepas.

–Cuéntamelo tú.

Ella se encogió de hombros.

–Mi compañero de piso dio una fiesta que acabó en un desastre. El apartamento quedó destrozado. Como mi nombre figuraba en el contrato, tuve que hacerme cargo.

–Así que fuiste llorando a Brent…

Aquel tono la sacaba de quicio.

–No.

Pero lo cierto era que en un momento de debilidad le había contado a Brent lo que había pasado y él le había ofrecido alojamiento.

–El acuerdo es entre Brent y yo. No es asunto tuyo –dijo levantando la barbilla.

–Deberías haberte dado cuenta ya de que sí que lo es. Ya no formas parte de la vida de Brent. ¿Cuánto le debes?

Desafiante, le sostuvo la mirada.

–Nada.

–¿Cuánto? –repitió endureciendo su expresión y al ver que Sara mantenía los labios sellados, continuó–. Lo averiguaré, Sara.

–No le debo nada –dijo sintiéndose acorralada–. Él es mi avalista para un préstamo que pedí al banco y que estoy pagando. Brent es demasiado hombre para aceptar dinero de nadie.

–Pero no lo tienes por un hombre, sino como alguien a quien desplumar. ¿Por qué no vendes el anillo y le devuelves el dinero?

–No hay ningún anillo –gruñó–. Nunca me ha dado ningún anillo. No lo habría aceptado –dijo y respiró hondo–. Puedes pensar lo que quieras de mí, pero ¿por qué desprecias tanto a tu primo?

Sus ojos centelleaban y sus mejillas ardían.

Él apretó los labios.

–No sabes de lo que estás hablando.

–¿Tan infalible te crees? Podría…

Sara decidió callarse antes de que sus palabras resultaran demasiado incongruentes.

Estaba demasiado próxima a él y su cercanía la confundía. Eso, unido a la ira que sentía y que le impedía articular palabras con coherencia, la hacía sentirse cada vez más débil. Lo único en lo que podía pensar era en los momentos que habían compartido en su cama la noche anterior.

–¿Qué podrías hacer? –preguntó.

¿Cómo era capaz de seguir pensando? Ella estaba tan enfadada, que parecía que la cabeza estaba a punto de estallarle.

La sonrisa de él era peligrosa y su mirada, intensa, pero tras sus pestañas, pudo adivinar la intensidad de su deseo. Tenía que salir de allí antes de hacer algo por lo que tuviera que arrepentirse.

–Ponme a prueba, Sara –dijo él, sonriendo.

–Ya te he probado, ¿recuerdas? Anoche. Y con una vez tuve suficiente.

Se dio cuenta demasiado tarde de que había caído en la trampa. Kain se quedó quieto, con todos los músculos de su cuerpo en alerta. Su mirada se tornó oscura.

¿Qué había hecho?, se preguntó Sara. Sintió pánico hasta que advirtió que Kain había recuperado el control.

–Podría hacerte tragar tus palabras –dijo él, dominándose.

Lo odiaba por ello, pero no podía afirmar que fuera un mentiroso. Un roce, un beso y arderían con una pasión que, al menos para ella, acabaría produciéndole una gran vergüenza.

Tuvo que hacer acopio de toda su fuerza de voluntad para disimular sus emociones y la adrenalina que se le había disparado.

–Esto es ridículo. Me haces enfadar tanto… Pero lo que he dicho ha sido imperdonable.

Él se encogió de hombros y se dio la vuelta.

–Prepárate para marcharnos. ¿Qué quieres que haga con esa camiseta?

–La lavaré antes de que nos vayamos –dijo, aliviada por el brusco cambio de conversación.

Pudo limpiar la sangre de Corky, pero sabía que

nunca más volvería a ponerse aquella camiseta. Luego, guardó la camiseta en el bolsillo impermeable de la mochila.

Hicieron todo el camino de vuelta a Auckland sin apenas dirigirse la palabra. Sin poder relajarse, Sara no dejó de mirar por la ventanilla.

Una vez en el apartamento, Kain le enseñó su habitación y le dijo sin ninguna emoción que había reservado mesa en un restaurante para ir a cenar.

–Dame la camiseta.

–¿Por qué?

–Le pediré al portero que se deshaga de ella.

–Puedo…

–Sara –dijo en un tono de voz que la hizo sentir un escalofrío en la espalda–, sólo por una vez, haz lo que te pido, ¿de acuerdo?

Sin decir nada, sacó la camiseta y se la dio. Luego, esperó a que cerrara la puerta al salir y se sentó en la cama.

–¡Dios mío! –susurró.

Se sentía como si estuviera al borde de un precipicio.

Hacía poco que conocía a Kain, pero ya había minado sus defensas. No sólo la había llevado al cielo entre sus brazos, sino que la había hecho enfadar tanto, que deseaba hacerle daño.

Toda una vida aprendiendo a controlarse para echarlo todo a perder nada más conocerlo. No se reconocía en aquella mujer que escupía fuego y hielo y que hacía comentarios despiadados, además de hacer el amor con gran fogosidad.

No podía quedarse sentada allí en la cama. Tenía que prepararse para aquella cena en la que estarían rodeados por otras personas.

–A la ducha –se dijo en voz alta y se levantó.

Después de disfrutar del agua fría y de aplicarse maquillaje, eligió un vestido negro, sencillo y de manga larga. Además, se puso medias negras y zapatos de tacón alto.

Su corazón latía con fuerza al entrar en el salón.

Kain estaba leyendo unos papeles y, al verla llegar, los dejó y le dirigió una mirada asesina. Por su expresión, supo que se había dado cuenta de que se había puesto un vestido recatado a propósito.

–Muy apropiado –dijo con una nota de cinismo en su voz–. Luto riguroso –añadió y dejó pasar unos segundos antes de concluir–. Con detalles insinuantes.

Sonrojándose, Sara levantó la barbilla.

–Claro que no.

–Entonces, ¿por qué siento ganas de arrancarte todo ese negro y besar cada centímetro de tu piel?

Su voz era profunda, pero Sara supo adivinar bajo sus irónicas palabras que estaba excitado.

–Porque eres insaciable –dijo enfatizando sus palabras.

Kain se encogió de hombros y miró su reloj.

–Antes de que nos dejemos llevar por esta lucha que mantenemos, será mejor que comamos algo.

Algo decepcionada, tomaron el ascensor privado y fueron al restaurante.

Sara descubrió que tenía hambre. Kain se mostró encantador. Incluso cuando Sara no estuvo de acuerdo con él, algo que ocurrió varias veces en el transcurso de la cena, escuchó sus opiniones con respeto.

De vuelta en el apartamento, Kain llamó al capataz, quien le contó que Corky no parecía tener nada serio. Su hermano también estaba mejorando y su estado no parecía tan grave como en un principio habían creído.

Aunque la semana siguiente estuvo muy ocupada, Sara encontró tiempo para visitar a los dos pacientes en el hospital y se sorprendió al descubrir por boca de Corky que Kain también había estado de visita. No sólo eso, sino que se había presentado con lo último en videojuegos. Su hermano había mejorado mucho y en breve compartirían habitación.

Por lo demás, se dedicó a trabajar duro, junto a Poppy, para ocuparse de los inevitables problemas que acarreaba el cambio de sede para la subasta.

—Estás disfrutando mucho, ¿verdad? —le preguntó Poppy el viernes por la tarde cuando Sara acababa de terminar una llamada con el servicio de restauración.

—Supongo que sí, aunque la compañía de autobuses no tiene vehículos de lujo suficientes para mañana por la noche. ¿Qué te parece un autobús de dos pisos? —dijo Sara y se puso de pie—. Imagínate un autobús de dos pisos por la carretera. Bueno, siempre hay algún fallo.

—Se te da muy bien arreglar las cosas.

Sara se sorprendió ante el comentario de la joven.

—Supongo que sí.

Poppy sonrió y al oír una voz desde la puerta, Sara se giró.

—Hora de que os vayáis a casa.

El corazón se le desbocó y vio cómo su ayudante abría los ojos como platos al ver llegar a Kain, muy elegante con un traje oscuro hecho a medida. No podía culpar a la muchacha. Ella también se había emocionado al verlo.

Lo deseaba y no la había tocado en toda la semana.

Kain sonrió a la joven.

—Hola, Poppy. Tengo entendido que estás haciendo un magnífico trabajo.

Poppy se sonrojó.

–Me está encantando. Sara y yo nos lo estamos pasando muy bien. Nunca antes había trabajado con alguien que supiera encargarse de las cosas con tanta eficiencia.

–Sara es muy competente –dijo Kain sin alterar su expresión.

–Gracias a los dos por el voto de confianza, pero creo ahora mismo preferiría no tener que emplear mi talento creativo. Como llame alguien más para decir que no pueden hacer lo que prometieron hacer, me voy a encerrar en el guardarropa a llorar.

Poppy soltó una risita y Kain arqueó las cejas.

–Será mejor que te lleve a casa y cenemos.

–Me queda media hora de trabajo antes de poder irme –dijo rápidamente Sara, consciente del súbito interés de Poppy.

–¿Pasa algo si no lo haces esta noche?

Sara lo miró y se encontró con sus ojos autoritarios.

–No –respondió Poppy–. Papá siempre dice que la última decisión que tomas en el día es habitualmente cambiada a la mañana siguiente. Creo que ni siquiera has comido, ¿verdad, Sara?

–No me acuerdo. Pero tu padre y Kain –dijo esbozando una sonrisa– tienen razón –añadió y se giró hacia Poppy–. Venga, vete tú también. Has trabajado mucho hoy y mañana será una locura. Te veré a primera hora en la hacienda.

–Lo estoy deseando. Apuesto a que va a ser un gran éxito.

Lo fue. Llevadas por la posibilidad de visitar una de las casas más bonitas del país, propiedad de un hombre muy poderoso, más de cincuenta personas de más se habían inscrito para la ocasión, incluyendo algunas artistas que vivían en el extranjero y un piloto de carreras. Los hombres estaban resplandecientes con sus mejores galas y las mujeres llevaban vestidos de cóctel y sus mejores joyas.

El ambiente de excitación e impaciencia era palpable. Después de comer y beber, los invitados estaban dispuestos a pujar. Dos de los asistentes cuyos gustos coincidían, libraron una batalla que hizo que los beneficios de la fundación se dispararan.

–Es la mejor subasta que hemos tenido –dijo Mark Russell, estrechando la mano de Kain–. Y todo gracias a ti, Kain. No podía haberse celebrado en un lugar más bonito.

–Ni podía haber sido organizado por nadie más eficiente –observó Kain.

Mark se quedó aturdido unos segundos.

–Por supuesto –dijo soltando la mano de Kain y abrazando a Sara–. Buen trabajo, Sara. No es que tuviera dudas de que pudieras organizarlo. Es la mejor secretaria que he tenido nunca –añadió, dirigiéndose a Kain.

–He tenido ayuda –dijo Sara rápidamente y sonrió a Poppy–. Muy buena ayuda.

Mark miró a su hija, que se había ruborizado.

–Sí, he de decir que estoy impresionado. Y ahora, tengo que dar las gracias a algunas de estas personas. Kain, confío en que tu equipo de seguridad guarde bajo llave los cuadros hasta que los enviemos a sus nuevos propietarios.

–Ya están de camino a una bóveda.

Sara sintió que se tensaba al ver aparecer a un fotógrafo y se obligó a relajarse. Aunque no quería aparecer en las páginas de sociedad otra vez, sería una buena publicidad. Además, Maire le había prestado un vestido muy sofisticado a la vez que discreto.

Se sentía eufórica de que todo hubiera salido como había imaginado. Incluso había luna llena, lo que creaba una magnífica vista sobre el estuario y las islas, además de proporcionar un encanto especial al jardín. Nadie quería irse a casa. Después de que Mark anunciara al público asistente la cantidad recaudada en la subasta, se había servido champán, y la gente estaba charlando y disfrutando del momento.

Además, Kain había estado allí con ella, muy guapo y elegante.

Lo miró y se quedó sin respiración al ver que la estaba observando con una mirada intensa. Todo su cuerpo se puso en alerta mientras el fotógrafo le hacía una foto.

—Poppy, será mejor que intentemos que toda esta gente empiece a meterse en los autobuses.

Una hora más tarde, los camareros habían desaparecido, el ama de llaves se había retirado después de inspeccionar la cocina y Sara se había quedado sola con Kain. La tensión se había apoderado de ella.

Kain se había quitado la corbata y se había desabrochado el cuello de la camisa. El contraste entre la tela blanca de la camisa y su piel bronceada resultaba tan erótico, que tuvo que apartar la mirada.

—Pareces contenta —dijo Kain, ofreciéndole una copa de champán—. Seguro que es la primera que te tomas esta noche. Te ayudará a relajarte.

Sara dio un sorbo y sintió las burbujas en la garganta.

—La fundación te debe mucho —dijo sin mirarlo.

—No ha sido nada. Tú lo organizaste todo.

—Con mucha ayuda.

Él sonrió.

–Pensé que Poppy no era de gran ayuda.

–Lo cierto es que es muy hábil y, aunque tengo muchos contactos, parece que conoce a todo el mundo en Nueva Zelanda. Si no fue al colegio con ellos, entonces fueron sus padres o sus primos, y entre ellos parecían estar relacionados con todo el que es alguien.

–Pareces tener envidia.

Sara se encogió de hombros y dejó la copa.

–No, uno no extraña lo que nunca ha tenido.

–Eso ya lo has dicho antes. ¿No tienes más familia?

–No que yo sepa. Mi padre creció en hogares de acogida.

–¿Y tu madre?

–Mi padre nunca me habló de ella. Sólo sé que se conocieron en uno de esos hogares, así que imagino que ella tampoco tenía familia.

–Hay momentos en que casi te envidio.

–Estoy segura de que no serán muchos.

¿Qué se sentiría al tener familia? Quizá fuera irritante en algunas ocasiones, pero siempre estarían ahí. Nunca lo sabría. Y aquélla estaba empezando a ser una conversación demasiado íntima.

–Gracias por todo –dijo caminando hasta el borde de la terraza–. Te mandarán una carta formal de agradecimiento desde la fundación.

–No lo necesito.

Parecía abstraída, pero cuando la hizo girarse, su expresión era severa y sus ojos centelleaban. Sara tragó saliva y la excitación que había logrado contener en los últimos días, volvió a hacer su aparición.

–Hay otras maneras más interesantes de dar las gracias –dijo tomándola por los hombros.

Sara sabía que debía negarse, que aquello era peligroso, pero lo deseaba con pasión. Suspiró y se dejó llevar por la voz de su interior que le decía que pasara lo que pasara, nunca se arrepentiría.

El beso abrió las compuertas de sus sentimientos y en aquel momento supo que aquello no era una simple atracción. A pesar de cómo era y de lo que había hecho, amaba a Kain Gerard. Y siempre lo amaría.

Su boca exploró la suya y Sara aceptó su destino.

Sus brazos la rodearon.

—Te deseo. Ahora.

El deseo era seguro, ya que no era amor.

—Yo también te deseo —susurró.

La tomó en brazos y la llevó hasta la habitación. Una vez allí, la dejó en el suelo y la abrazó, haciéndole sentir el calor y la fuerza de su cuerpo.

—A pesar de lo mucho que deseo arrancarte este vestido, imagino que hay que tratarlo con cuidado.

—Sí.

A pesar de que la pasión estaba afectando a sus pensamientos, el vestido no era suyo. Se lo había prestado Maire. Se desprendió de la prenda y la dejó sobre el baúl que había al pie de la cama.

Algo salvaje y sensual en su interior ardió en llamas. Cubierta tan sólo por la ropa interior, se quitó las sandalias de tacón.

—Mi turno —dijo él y se inclinó para besarla en el hombro.

—Quítate la camisa.

Cuando se la quitó, Sara puso la mano sobre su pecho. Tenía la piel caliente.

Consciente de lo que hacía, lo tomó por los hombros y siguió la línea del vello de su torso hasta llegar a la cintura de los pantalones.

–Mírame –le ordenó Kain.

Ella levantó la cabeza y él tomó su boca en un beso, un beso que demandaba todo lo que tenía para darle.

Todos sus pensamientos desaparecieron y Sara se entregó a las aguas turbulentas del deseo, perdida en el calor de la pasión de Kain y en su respuesta incontrolada.

De pronto se encontró en la cama, observando cómo Kain se quitaba el resto de la ropa. Al verlo desnudo bajo la luz de la luna, sintió que le faltaba la respiración. La sangre corría veloz por sus venas y, cuando se acercó a ella, se entregó a un peligroso y desesperado placer.

Sabía que sería la última vez. Aunque quisiera más, ella tendría que rechazarlo o se haría adicta a aquella abrumadora pasión, pensó mientras sentía sus labios jugueteando con un pezón.

–¿Tienes frío? ¿Quieres que cierre la puerta?

–No –dijo sintiéndose a punto de arder en llamas–. Es sólo que me haces sentir… muchas cosas.

Él sonrió.

–Bien. Porque yo siento lo mismo.

Siguió besándola por la cintura hasta que llegó a la entrepierna. Sara se quedó quieta unos segundos, pero de nuevo la excitación volvió a sacudirla. Kain sabía lo que hacía y se sentía a punto de morir de placer. Pero necesitaba más…

Gimió y una embestida en las caderas la tomó por sorpresa.

–Kain –susurró.

–Todavía no.

Se quedaron durante unos instantes quietos, mirándose uno al otro en silencio. Luego, ella se arqueó y lo abrazó con fuerza para sentirlo más dentro y no dejarlo escapar. Continuaron agitándose al unísono hasta que alcanzaron el éxtasis a la vez.

Rodeada entre sus brazos, Sara sintió que las lágrimas escapaban de sus ojos, deseando algo que nunca ocurriría.

Si al menos se quedara a pasar la noche con ella…

Lo que de veras quería era que la amara. Pero eso nunca iba a ocurrir.

Él rodó a un lado y, sin decir nada, la abrazó contra él. Con el rostro sobre su hombro, Sara sintió su calor y se dejó llevar por la sensación de seguridad que le proporcionaba.

Cerró los ojos y con la luna brillando en lo más alto del cielo, se entregó a un sueño placentero.

Capítulo 10

POR la mañana, Kain se había ido. Sara se despertó y lo buscó. Luego, suspiró y se incorporó. Había dormido profundamente.

Se acomodó en las almohadas y se quedó mirando el techo. Tenía que pensar en lo que debía hacer.

Lo más sencillo sería decirle a Kain que se había enamorado de él y que quería tener una relación seria, pensó sonriendo con amargura. Pero si lo hacía, la apartaría rápidamente de su vida. O quizá se aprovecharía hasta que se cansara de ella.

No. Aunque fuera cruel, sabía que no era como Derek Frensham. La deseaba, pero antes de embarcarse en satisfacer esa necesidad, se aseguraría de que ella comprendiera en qué se estaba metiendo. Se estremeció y hundió el rostro en la almohada.

Una relación sin amor acabaría con algo esencial en ella. Después de su infortunada aventura con Derek, le había costado mucho tiempo recuperar su autoestima. Sus sentimientos por Kain eran mucho más intensos.

Siempre podía huir, aunque enseguida descartó la idea. Era muy difícil esconderse en Nueva Zelanda y Kain podía encontrarla rápidamente. Además, la idea de huir hería su orgullo.

Con ese mismo orgullo, se levantó de la cama, se metió en la ducha y se puso un vestido de verano.

La casa estaba en silencio y, al salir, se encontró con el ama de llaves.

–Kain ha salido a montar a caballo –le dijo Helen Dawson–. Enseguida volverá, pero dijo que no lo esperara para desayunar.

–No suelo dormir hasta tarde –dijo Sara.

–Tenía que descansar. Ha trabajado mucho. Hace una mañana muy agradable y he preparado la mesa en el porche, pero si prefiere comer dentro…

–Oh, no, en el porche estará bien, gracias.

Sara fue con ella hasta la mesa y de repente se oyó el sonido de unos cascos.

–Ah, ahí está.

No había necesidad de aclarar a quién se estaba refiriendo. Kain estaba montando un caballo castaño.

–¿Sabe montar? –le preguntó Helen.

–No así de bien. Aprendí a montar en el viejo caballo de unos vecinos.

–Kain aprendió a montar antes que a caminar –dijo el ama de llaves mientras el caballo desaparecía entre los árboles–. Le traeré un zumo.

Sara se apoyó en la barandilla. Era la zona más privada de la casa y al otro lado de una verja de hierro divisó una piscina, a unos cien metros de la playa.

El intenso aroma de las gardenias la embriagó y, sin pensárselo, cortó una flor y se la puso tras la oreja.

Kain la vio nada más entrar en el porche. Los pétalos blancos de la gardenia destacaban en el negro de su pelo. Sara estaba apoyada en uno de los postes mirando hacia el estuario y no lo oyó llegar.

Al verla reclinada en el poste, frunció el ceño. Parecía cansada. Sintió el impulso de acercarse a ella y rodearla con sus brazos para transmitirle su fuerza. Pero tenía que contenerse.

Quizá aquella fragilidad se debía al vestido rojo y blanco que llevaba y que resaltaba su esbelta figura. Lo más probable era que estuviera cansada después de tantas semanas de trabajo, rematadas con una noche de mucha tensión.

Después, habían hecho el amor apasionadamente y Sara se había quedado dormida en sus brazos. Él había permanecido despierto, sin dejar de pensar que era una chantajista. Había tratado de encontrar alguna excusa: que era joven y pobre, que no le habían enseñado valores morales,…

Pero el chantaje era producto de una mente fría y calculadora.

Paseó la mirada por la curva de sus pechos, por su estrecha cintura y por sus largas piernas y todo lo que sintió fue deseo y una necesidad de olvidarse de lo que sabía de ella para tomarla tal cual era.

Como si hubiera sentido su mirada, Sara se giró de pronto y lo vio.

Kain había tomado una decisión y sólo Dios sabía a dónde lo llevaría. Con un poco de suerte, a una solución sensata. Esa mañana se había enterado de que sus hombres habían dado con una de las víctimas de los chantajes. Se trataba de la señora Popham, una anciana que vivía en una residencia de Napier. Ahora, por primera vez en su vida, se encontraba indeciso ante dos posibilidades.

—Deberías haber dormido más —dijo él acercándose.

Para su sorpresa, al llegar junto a ella la abrazó y le dio un beso en la frente.

—Una vez me despierto, me cuesta mucho volver a dormirme. Así que me he levantado.

Confiaba en que su piel no delatara las emociones

que la estaban embargando, especialmente después de aquel beso tan tierno.

–¿Has dormido bien? –preguntó y, al ver que asentía, añadió–. Yo también. Venga, el desayuno te aportará energía.

–Necesito un café –dijo y se apartó de él, incapaz de pensar con claridad.

–¿Quieres que me cambie? Imagino que huelo a caballo.

–No demasiado. Además, me gusta y estás muy guapo con los pantalones de montar.

Después de desayunar, navegaron hasta una isla cercana. Nadaron en la orilla e hicieron el amor bajo los árboles. Sara era consciente de que estaba jugando con fuego, pero si era aquello todo lo que iba a tener, estaba dispuesta a arriesgarse. Su vida en los últimos ocho años había estado vacía y en breve volvería a estarlo, pero siempre le quedarían los recuerdos de la pasión por un hombre que nunca la amaría.

Aquella noche regresaron a Auckland. Kain esperó a que hubiera deshecho la maleta para abrir una botella de champán.

–¿A qué se debe esto? ¿Al éxito de la subasta? Ya brindamos anoche por ello.

–No. Por un nuevo comienzo.

–No sé a qué te refieres.

–Es muy sencillo –dijo Kain, estudiando su rostro–. Me deseas, te deseo y somos compatibles. Tiene sentido que te quedes conmigo.

El corazón se le partió, roto por el pragmatismo de sus palabras.

–¿Así de sencillo? –preguntó con voz quebradiza–. Como el sexo es bueno, seguimos juntos, ¿no? Y cuando nos cansemos uno del otro, nos diremos adiós y cada uno seguirá su camino, ¿no?

–No, siempre me preocuparé por ti –dijo él, frunciendo el ceño.

–No –dijo armándose de dignidad–. No se me da bien el papel de amante.

–Eres muy modesta –dijo él sonriendo–. Eres atrevida, sexy, buena en la cama. Eres inteligente, educada y das unas fiestas estupendas. ¿Qué más podría querer un hombre?

–No sé que es lo que quieren los hombres, pero no he oído nada en tu lista de lo que yo quiero. Así que tendrás que beber tú solo –añadió mirando la botella.

–No me gusta beber solo. Y respecto a lo que buscan los hombres, ya lo he dicho, pero se me ha olvidado algo. Además de todo lo anterior, también quiero una mujer que arda en deseos entre mis brazos, como tú.

–¡No!

Esa vez había pánico en su voz. Trató de sentir alivio, pero no se había dado cuenta hasta aquel momento de que quería ser cortejada hasta rendirse. Aunque sólo fuera una rendición sexual, sin amor ni compromiso.

Kain era sincero, pensó. Se sentía tentada a tomar lo que le ofrecía: ser su amante durante unos meses, un adorno en público y, con el tiempo, desaparecer de su vida.

–No –repitió–. Y antes de que digas nada más, sé que podrías forzarme a...

–No me dedico a violar.

–No sería una violación y lo sabes, pero para mí no es más que una incómoda atracción, algo que saciar rápidamente y sin ninguna emoción, y no quiero eso.

–¿Por qué, Sara?

–Ya he pasado por lo mismo –dijo y se quedó callada unos segundos antes de continuar–. ¿No crees que debe haber respeto entre amantes? El sexo sin sentimientos es un acto mecánico para satisfacer una necesidad. Quiero más que eso –añadió y levantó la cabeza con orgullo–. Me merezco más que eso. Y tú también.

Durante largos segundos, se quedó mirándola impasible. ¿Qué estaba pensando tras aquella atractiva máscara?

–Entonces, muy bien –dijo él y se encogió de hombros–. Pero te quedarás aquí hasta que esté seguro de que Brent no siente nada por ti.

Sabía que aquello no era negociable y asintió.

–De acuerdo.

–¿Trato hecho? –dijo él alargando la mano y Sara la estrechó.

Era evidente que seguía sintiendo desprecio y desconfianza por ella. Después de todo, ¿quién podía confiar en una chantajista?

Los días siguientes continuaron siendo tensos, pero consiguieron mantener cierta calma entre ellos. Un día, asistieron a una fiesta en una enorme mansión sobre los acantilados de una de las playas más concurridas de Auckland. Sara enseguida se dio cuenta de que Kain se estaba aburriendo, aunque no fuera evidente. Ella también se aburría y la velada se le hizo eterna. Además, tuvo la desgracia de encontrarse a alguien de su pasado.

La mujer no pudo ocultar su sorpresa al encontrarse a Sara allí. Cuando se la presentó, Kain se mostró amable y, después de unos minutos de conversación, la mujer volvió con su grupo.

–¿Una vieja enemiga?

–No exactamente –contestó Sara–. No nos movíamos en los mismos ambientes, pero su hija estaba en mi clase. Un día protestó frente a todo el mundo de que su hija tuviera que sentarse a mi lado.

–Entiendo que haya niños crueles, pero eso es despiadado.

–Ocurre cuando tu padre es el borracho del pueblo –dijo sonriendo con malicia–. Tengo que admitir que he disfrutado con la cara que ha puesto al verme contigo.

–Me alegro de haber ayudado –dijo y la tomó de la mano–. Pero probablemente se ha impresionado al ver tu elegancia y no ha podido disimularlo.

Después, al volver del guardarropa, se encontró a Kain hablando con la mujer. Había algo en el modo en que la estaba mirando que la hizo ponerse tensa. O quizá fue la expresión fría y arrogante de Kain.

Mientras se abría camino entre la gente, Sara se preguntó si alguna vez sería capaz de borrar su pasado.

Al llegar junto a Kain, éste volvía a estar solo y no dijo nada. Sara tampoco. Después de todo, la mujer sólo podía haberle contado cotilleos.

Al cabo de unos minutos, Kain la dejó sola unos momentos y vio a la mujer acercarse.

–Siempre me dabas lástima, ¿sabes? Pero ya no. Me alegro de que estéis juntos. Hacéis muy buena pareja –le dijo y continuó su camino antes de que Sara pudiera decir nada.

Al día siguiente, fueron a la cabaña y Sara se sorprendió al darse cuenta de que Kain parecía querer establecer una conexión más allá de lo físico. Hablaron mucho y le enseñó a hacer surf. Era un profesor paciente y, cuando logró subirse a la tabla y deslizarse sobre una ola, la felicitó con gran ímpetu.

Sería un buen padre, pensó mientras regresaban al ático, pero enseguida apartó el pensamiento de la cabeza.

El viernes de la semana siguiente, después de unos días intensos, estaba sentada a su mesa trabajando cuando el teléfono sonó.

–Sara Martin.

Después de unos segundos de silencio, oyó una voz al otro extremo.

–Hola, Sara. Hace mucho que no nos vemos.

–¿Derek? –preguntó incrédula.

–Sí, Derek Frensham en persona –dijo riendo–. He visto tu foto en el periódico del domingo con ese multimillonario con el que estás. No, no me cuelgues –añadió adivinando sus intenciones–. No te lo recomiendo.

–¿De qué va todo esto?

–Digamos que quiero que nos pongamos al día. Ya veo que tú estás muy bien, pero a mí no me van tan bien las cosas.

–No me das ninguna pena. Estuve a punto de acabar en la cárcel por tu culpa.

–Eso fue una equivocación de mi abuelo. Pero todo eso es parte del pasado ya. ¿Por qué no quedamos y recordamos viejos tiempos?

–No.

–Creo que deberías.

La amenaza quedó suspendida en el aire. Al fin y al cabo, lo suyo era el chantaje. Probablemente quisiera dinero, pensó Sara y sintió pánico.

–¿Por qué iba a hacerlo? La última vez que te escuché, perdí mi empleo y mi reputación.

–Te salvé el pellejo. Cargué con la culpa porque sabía que mi abuelo avisaría a la policía si se enteraba de que habías sido tú –dijo y subiendo la voz, añadió–. Lo hice todo por ti. Después me dejaste y mi abuelo me repudió. Me lo debes, Sara.

–No avisó a la policía porque sabía que te habías aprovechado de mí para acceder a sus archivos y chantajear a esa pobre gente. Te recuerdo que uno de ellos incluso se suicidó.

–Yo lo recuerdo de otra manera. Además, ¿quién va a creer a la hija de un borracho? –dijo y rápidamente, añadió–. Necesito dinero.

–Aunque lo tuviera no te lo daría.

–Entonces, tendré que pensar en hablarle de ti a tu millonario. ¿Sabes a quién creerá?

Sara se estremeció. ¿Qué podía temer? Al fin y al cabo, ya no podía caer más bajo ante Kain.

–Apuesto a que ese puñado de santurrones para los que trabajas, también querrán saber de tu pasado –continuó Derek–. Seguro que podrás meter la mano en todo ese dinero que han sacado. La subasta que organizaste recaudó más de tres millones de dólares.

–Eres despreciable.

–Estoy desesperado. Y si no puedes conseguirlo de ellos, será mejor que te aproveches de tu millonario mientras puedas. Necesito el dinero y lo necesito ya.

Sara colgó el auricular. El teléfono volvió a sonar varias veces más, pero al ver que era su número, no lo descolgó.

Cuando llegó su hora de marcharse, estaba agotada y asustada. Preocupada, recogió sus cosas y salió al vestíbulo.

Allí se encontró con Kain, que estaba hablando con Poppy. Sintió una punzada de celos que la sorprendió. Tuvo que detenerse y respirar hondo para tratar de relajarse.

Kain la vio llegar y sintió un arrebato de deseo. Aquella semana pasada había sido un infierno: no había dejado de desearla ni un minuto.

Bajó la vista y miró a Poppy, que seguía hablando.

–… y es paciente y amable. Cuando trabajo con ella, no me trata como a una tonta y me hace sentir útil. Algunos de los empleados piensan que soy una hija de papá, haciéndoles perder el tiempo. El año que viene me voy a estudiar a la universidad. Sara dice que es bueno porque demuestra que puedes trabajar duro y organizar tu vida.

–Así es –convino mientras veía cómo Sara se acercaba a ellos.

–Hola, Sara –dijo Poppy al verla–. Le estaba explicando a Kain lo maravillosa que eres.

–Espero que no sea cierto –dijo sonrojándose.

–Ahí está papá. Será mejor que me vaya, quiero hablar con él de camino a casa.

Poppy se fue a toda prisa y Kain se quedó mirando a Sara.

–¿Qué ocurre? –le preguntó una vez en el coche.

–Nada. Me estaba preguntando por qué habías venido a recogerme.

–Brent ha vuelto –dijo impasible.

Sara sintió que su estómago daba un vuelco.

–Pensé que iba a estar más tiempo fuera.

–Desembarcó del bergantín en el Caribe y tomó un avión de vuelta.

–¿Por qué?

–Adivínalo, Sara –dijo mirándola con ironía.

Ella se mordió el labio.

–¿Ya lo has visto?

–Todavía no –contestó distante.

Su corazón se encogió. No quería hacer daño a Brent, pero si pensaba que estaba enamorado de ella, a la larga iba a ser lo mejor.

–¿Qué va a pasar?

–Luego vendrá a vernos.

–Quiero verlo a solas.

–No –dijo él.

–Sé que no te importa humillarme, pero Brent es tu primo.

–Tiene que darse cuenta de que no hay esperanza para él y sólo lo conseguirá si nos ve juntos.

–Pero…

–No estoy dispuesto a ceder en esto –dijo con voz firme.

–¿Alguna vez estás dispuesto a negociar?

–Tienes todo el derecho a preguntar eso, pero no es momento de hablar de eso. ¿Estás de acuerdo en ver a Brent conmigo en la misma habitación?

–Sí –dijo cediendo–. Si no te importa lo que tu primo piense de ti, ¿por qué iba a importarme?

Brent llegó a los diez minutos de que volvieran al apartamento. Sara se había puesto unos pantalones de algodón y una camiseta. Luego, se retocó el maquillaje. Antes de salir, se miró al espejo para asegurarse de estar impecable.

Al reparar en el lujo que la rodeaba, recordó la casa que había compartido con su padre y a punto estuvo de llorar. Respiró hondo y salió al pasillo en dirección al salón.

Capítulo 11

CON los nervios hechos un nudo, Sara cruzó la puerta. Los dos hombres se levantaron al verla llegar. El parecido entre ambos era espectacular. Kain era más alto y Brent parecía haber madurado durante las semanas que había estado fuera.

–Aquí está –dijo Kain.

Por un segundo, Sara deseó que empleara aquella voz cálida y atenta cuando hablaba con ella.

Se acercó y la tomó del brazo.

–Hola –dijo Sara sonriendo a Brent.

–Hola, ¿cómo estás? –dijo después de unos segundos.

–Bien, gracias. ¿Y tú?

–Muy bien –contestó Brent y miró a su primo–. ¿Para qué me has hecho venir?

–Para demostrarte algo.

Kain miró a Sara.

–Trátala bien o tendrás que vértelas conmigo –dijo su primo frunciendo el ceño–. Sara es especial.

Había conseguido sorprender a Kain, pensó Sara sintiendo alivio. Eso le serviría de escarmiento a Kain para su arrogancia.

–Conociéndote, Kain, imagino que la habrás hecho investigar –añadió Brent–. Ya sabrás que todo son mentiras.

–Sí –respondió Kain y Sara lo miró–. ¿Cómo lo descubriste?

–Lo siento, Sara, pero te mandé investigar –dijo Brent, dirigiéndole una mirada de disculpa antes de girarse de nuevo hacia su primo–. Había oído hablar de los Frensham. ¿Te acuerdas de Blossom McFarlane, la amiga de mi madre? Estudié en el colegio con su hijo pequeño y el mayor estaba en la misma clase que Derek Frensham. Sabía la clase de persona que era Derek. Siempre nos entretenía con sus aventuras. Cuando me enteré de que estaba en escena mientras se suponía que Sara estaba haciendo chantajes, imaginé que tendría algo que ver. Cuando descubrí que el viejo Frensham había arreglado la situación, no me quedó ninguna duda.

–Entiendo.

Brent se encogió de hombros y miró a Sara.

–Siento haber husmeado, pero en mi negocio, tengo que estar seguro de la gente que me rodea –dijo incómodo–. Por cierto, ¿cómo os conocisteis?

–En las carreras –se apresuró a contestar Kain.

–¿Vamos a ir a cenar? –preguntó Brent sonriendo.

–Si vuelves a irte mañana, será mejor que cenes con tu madre.

–Tienes razón. Imagino que me someterá a un interrogatorio.

Por el comportamiento de Brent, Sara cayó en la cuenta de que debía de haber conocido a alguien.

–Desde luego –dijo apartando la mirada de Kain–. Querrá pasar todo el tiempo que pueda contigo. Pero antes de que te vayas, háblanos de ella.

–¿De mi madre? –preguntó sonrojándose y pasándose la mano por el pelo.

Sara rió.

–Venga, cuéntanos. ¿Quién es? ¿Me caerá bien?

–Por supuesto. ¿Cómo has adivinado que había conocido a alguien? Es preciosa. Es de Sudáfrica y se crió en una granja. Cuando acabe de hacer el recorrido en barco, creo que iré allí. Quiero hacer un safari y Laura dice que son muy interesantes.

–Me alegro –dijo Sara.

¿Qué haría ahora Kain? ¿Alejarla de su lado?

–Brent, ¿crees que podrías decirle a Kain para quién compraste un anillo de diamantes?

–¿Cómo te has enterado? –preguntó Brent mirándola.

–Tu madre me lo contó –afirmó Kain–. Le diste su dirección al joyero y los papeles de autenticidad le llegaron a ella.

–Quería que fuera una sorpresa. Tuve que superar algunos inconvenientes y encontrar una foto de la boda de mis padres para que el joyero pudiera ver cómo era el anillo de compromiso de mi madre. Kain, recordarás que lo perdió al poco de morir mi padre y le dije entonces que cuando tuviera el dinero le compraría otro. Bueno, pues mandé que le hicieran uno exactamente igual. Iba a dárselo en el aniversario de su boda cuando volviera. Nunca se me ocurrió que esos papeles pudieran llegarle. ¡Maldita sea!

–Ve a casa y dáselo inmediatamente. Se emocionará mucho, pero estoy segura de que le gustará –dijo Sara.

Media hora más tarde, después de escucharle hablar de su nuevo amor y del viaje en bergantín, Brent se fue con la promesa de enviarles una postal desde cada puerto.

Sara estaba muy nerviosa. A pesar de que Brent no parecía haberse dado cuenta, Kain había permanecido muy callado. Quizá estaba preguntándose cómo apartarla de su vida ahora que sabía que Brent no estaba enamorado de ella.

No tenía de qué preocuparse. Se iría esa misma noche, antes de que descubriera sus verdaderos sentimientos hacia él.

Se fue a su habitación y empezó a guardar su ropa en la mochila. Estaba a punto de terminar cuando Kain apareció en el umbral de la puerta.

–¿Qué demonios crees que estás haciendo?

–Irme. No puedes retenerme aquí por más tiempo –dijo, tratando de recuperar su orgullo.

–Claro que puedo –dijo él, entornando los ojos.

–Pero es evidente que Brent no corre ningún peligro conmigo. Espero que ahora estés satisfecho. Incluso sabía la historia de los chantajes. Además, el anillo de diamantes ya no es problema.

Kain se quedó pensativo antes de hablar.

–El asunto ese de su nueva relación podría ser una farsa. Te quedarás conmigo hasta que me convenza de que Brent no alberga ninguna esperanza. Así que guarda eso –dijo señalando la mochila.

–Nunca te perdonaré por esto –dijo Sara con la sangre hirviendo y se acercó hasta la puerta.

–Brent no sabe la suerte que tiene. Lo he salvado de una arpía.

–Sólo me comporto así con la gente a la que desprecio –dijo y cerró la puerta dando un portazo.

No quería decirle que él era la única persona que conseguía enfadarla tanto.

De repente, Sara se encontró en mitad del pasillo y se dio cuenta de que lo había encerrado en su habitación. Había hecho el ridículo más absoluto. Avergonzada, abrió la puerta.

Kain no se había movido del sitio y tenía una expresión divertida en la cara. Nada más verla, volvió a fruncir el ceño.

–Por favor, vete.

Pasó a su lado y Sara contuvo las ganas de abrazarlo, desafiándolo con la mirada.

–Cuando te enfadas, tus ojos desprenden llamas y dan ganas de besarte –dijo y Sara se quedó a la espera de que lo hiciera–. Pero estás cansada y apuesto a que no has comido. Guarda tus cosas mientras encargo la cena. Cenaremos pronto para que puedas irte a la cama.

Una sensación de vacío la invadió al verlo salir de la habitación. Incluso cuando estaba furiosa con él lo deseaba.

No podía haber futuro para ellos. El misterio del anillo de diamantes se había aclarado, pero la historia de los chantajes se interponía entre ellos. A menos que el testimonio de Brent hubiera servido para hacerle cambiar de opinión.

Aun así, deseaba que Kain la creyera sin necesidad de recurrir a pruebas. ¿Pero en qué estaba pensando? Tenía más posibilidades de alcanzar la luna de que Kain la creyera.

Se sentó en la cama y se quedó mirando la mochila. Había llegado el momento de enfrentarse a los hechos. Aquella obsesión no podía ser amor. Tenía que ser una sensación más agradable que la pasión que la consumía.

Ni siquiera estaba segura de que Kain le gustase. Aparte de un pasado triste, no tenían nada en común. Cada vez que lo miraba, sus latidos se aceleraban y, aunque la hacía enfadarse hasta el punto de casi perder el control, también la hacía sentirse viva. Además, era de admirar su sentido del honor y su determinación para proteger a su primo.

También tenían otra cosa en común: el sexo. Pero era lo suficientemente madura como para saber que una relación necesitaba mucho más que una ardiente pasión.

Se retocó la pintura de los labios y salió decidida a ignorar la fuerza de aquella pasión reprimida. Kain estaba hablando por teléfono y colgó nada más verla llegar.

Sara se quedó mirándolo y en aquel momento descubrió que, a pesar de todo, lo amaba.

—Te debo una disculpa —dijo él—. O varias, aunque ésta es la primera.

—He de admitir que la vida contigo no es aburrida —dijo ella arqueando las cejas—. Cada día surge algo nuevo.

—Entonces, disfruta. Me cuesta mucho admitir que estaba equivocado, pero admito que lo estaba cuando te acusé de haber aceptado el anillo de Brent.

—No importa —dijo ella encogiéndose de hombros.

—No me gusta cometer errores.

—¿Por eso estás pidiendo perdón?

—Lo siento mucho. Debería haberme asegurado antes de acusarte.

Lo que de veras quería oír era que no la creía capaz de aceptar un anillo de treinta mil dólares de un hombre con el que no estaba dispuesta a casarse. Pero eso no iba a ocurrir.

—Disculpa aceptada.

Se quedaron mirándose unos segundos y después, él le ofreció su mano.

—Me dijiste que era el único hombre que te hacía enfadar tanto. Pues deja que te diga que tú eres la única mujer de la que he sacado tantas conclusiones equivocadas. Y por eso, lo siento.

–Podría decir que no importa, pero me ha dolido.

–De veras que lo siento –dijo y antes de que Sara pudiera decir nada, añadió–. ¿Has recibido hoy una llamada de Derek Frensham?

–¿También te ha llamado a ti?

–Sí, antes de que saliera de la oficina.

–Siento que te haya molestado. Imagino que quería dinero.

–Así es –dijo Kain observándola con su mirada penetrante–. Me ha amenazado con contar que eres una chantajista y una mentirosa y que yo soy un estúpido por dejarme embaucar por una mujer como tú.

–Espero que le hayas dicho que se fuera al infierno.

–Claro –dijo e hizo una pausa–. Antes de seguir, quiero que me cuentes exactamente lo que pasó cuando dejaste el instituto para trabajar para el abuelo de Frenshaw.

Ella se mordió el labio. Sólo se conformaría con la verdad, aunque sabía que no la creería.

–¿Para qué? Me dijiste que no querías oír mis mentiras y no parece que hayas cambiado de opinión. Prefiero no hablar de eso.

–No te culpo por ello, pero esta vez no habrá acusaciones. Me acusaste de no escucharte y tenías razón. Ahora estoy preparado para escucharte.

Sara respiró hondo y se armó de coraje. Aquella podía ser su única oportunidad.

–Después de que mi padre muriera, me sentí perdida. Siempre había cuidado de él. El señor Frensham se ocupó del papeleo del seguro. Yo quería emplear parte de ese dinero en pagar las deudas de mi padre, pero me lo dejó con la condición de que lo usara para mi educación. Como el señor Frensham era el albacea, no me lo dio. La mujer que trabajaba para él acababa de tener un bebé, así que me ofreció un trabajo temporal. Fue justo en el momento adecuado. Pude reunir el dinero para pagar las deudas antes de empezar el año académico.

Sara se detuvo.

—Continúa.

—Luego Derek fue a visitar a su abuelo. Me embaucó y nos hicimos novios.

—¿Qué edad tenía él?

—Veintitantos, quizá treinta. ¿Por qué?

—Qué canalla.

—Sí, bueno, yo me hice ilusiones —dijo y respiró hondo antes de continuar—. Necesitaba querer a alguien. Solía venir a la oficina muy a menudo y, mientras esperaba a que su abuelo terminara con algún cliente, se quedaba merodeando por los archivos. Yo le decía que no lo hiciera, pero él se reía y no me daba cuenta de lo que estaba haciendo. Fui tan estúpida, que ni se lo dije al señor Frenshaw. Después, me acusaron de usar la información de los expedientes para chantajear a dos de sus clientes. Me llevé un buen disgusto, sobre todo cuando el señor Frenshaw no me creyó. Luego, los rumores corrieron por el distrito. Fue horrible cuando aquel hombre se suicidó. Me sentí culpable por no haberle contado al señor Frenshaw las andanzas de Derek. Pero algo ocurrió, nunca supe qué, y el señor Frenshaw me dijo que me creía.

—¿Qué hizo creer al abogado que había sido su nieto?

–No lo sé, pero creo que Derek ya había tenido problemas antes.

–¿Qué ocurrió después?

–El señor Frenshaw sufrió un infarto y murió. Derek desapareció. Yo me marché a Auckland y encontré trabajo en un supermercado. Nunca he vuelto –dijo Sara y observó su rostro inexpresivo–. Hubiera preferido que no te vieras envuelto en todo este asunto.

–¿Sabes dónde está Frenshaw?

–Imagino que en Auckland. ¿Por qué?

–Me gustaría arrancarle la piel a tiras por lo que te hizo y por lo que intenta hacer ahora. Me creí los rumores, pero eso es culpa mía y no suya. ¿Te dice algo el nombre de Popham?

–Sí, claro –dijo abriendo los ojos como platos–. Era la vecina de al lado. Era muy buena conmigo.

Las malas lenguas la señalaban como otra víctima más de Derek.

–Al parecer, se enteró de que había un detective investigando e intentó ponerse en contacto conmigo.

–Pensé que había muerto.

–Nada de eso. Vive en una residencia en Napier.

–¿Y qué te ha contado?

–Nada, no he hablado con ella.

–¿Por qué no? –dijo Sara y se sentó en una silla.

Kain le sirvió un vaso de agua.

–Toma, bebe –dijo–. No sé cuándo me di cuenta de que estaba equivocado respecto a ti. Sé que, si no te hubiera deseado desde el momento en que te vi, me habría controlado y habría sido más razonable –antes de continuar, hizo una pausa–. Mis padres se pasaban el día como el perro y el gato. Se adoraban, pero no eran capaces de dejar de discutir. Así que en cuanto tuve uso de razón, decidí que no me casaría.

–Entiendo.

–Elegía amantes que no eran exigentes y que no me pedían nada. Y entonces, apareciste en mi vida. Te deseaba tanto como te despreciaba, así que aproveche tus supuestos errores del pasado para evitar admitir la verdad.

–¿La verdad? –preguntó sorprendida.

El corazón le latía con tanta fuerza, que tenía que fijarse en sus labios para comprender lo que le estaba diciendo.

–Te quiero –dijo Kain y entornó los ojos–. Nadie en su sano juicio cree en el amor a primera vista, pero eso es lo que ha pasado. Ahora es cuando me dices que, aunque fuera el último hombre de la tierra, no me querrías.

Sara rompió a llorar y Kain la abrazó.

–No sé…–balbuceó ella–. Soy muy feliz, pero ahora… No puedo…

–Calla. Sólo dime si me amas o no.

–¡Claro que sí!

–Eso esperaba –dijo Kain y le dio un pañuelo–. Sara, te quiero mucho, pero si ésta es tu reacción, no volveré a decírtelo. Me parte el corazón verte llorar.

–No puedo parar. Nunca lloro. No sé cómo demostrártelo, pero te quiero mucho.

–No hace falta que me lo demuestres. Eso es lo que intento decirte –dijo, secándole las lágrimas–. No tengo ninguna duda de que no tuviste nada que ver en todo ese asunto de los chantajes.

Kain la tomó en brazos y la llevó al sofá. Durante unos minutos, permanecieron abrazados mientras Sara fue tranquilizándose.

–¿Para qué hiciste que Brent volviera?

–Supongo que estaba celoso –contestó al cabo

de unos segundos–. Sí, celoso. Es una sensación nueva para mí y necesitaba veros juntos para saber que no sentías por él nada más que la amistad que decías.

–¿Y ahora?

–Estoy convencido –dijo con voz firme y rotunda–. Sólo necesitaba asegurarme en lo que a mi primo se refería.

–Kain, estabas tan convencido de que era una mentirosa que, ¿qué te hizo cambiar de opinión?

–Lo cierto es que empecé a creer en ti después de que hiciéramos el amor por primera vez.

Sara abrió los ojos como platos.

–¿Te diste cuenta de que no era una chantajista porque era buena en la cama? –preguntó, incapaz de distinguir si le agradaba o le disgustaba.

Él rió y la besó.

–Fuiste muy generosa. Me diste todo sin reservas. Me di cuenta de que nunca antes habías tenido un orgasmo y de que eras completamente inexperta.

–Fue maravilloso –dijo Sara–. Pero eso no tiene nada que ver con la moralidad.

–El chantaje es un delito repugnante y no veía a la mujer que tenía entre los brazos capaz de cometerlo. Cuando hicimos el amor, no había nada falso. Te entregaste a mí con todo tu corazón.

–Sí –admitió ella.

–Tardé en darme cuenta. Pero lo he pasado bien discutiendo contigo.

–No suelo ser tan peleona –dijo y suspiró–. Sólo cuando te pones odioso. Además, me sentía herida. Quería que me creyeras, que te dieras cuenta de que era incapaz de chantajear a nadie. Fue muy doloroso que todo el mundo creyera que lo había hecho yo, sobre todo la señora Popham, después de lo amable que había sido conmigo.

–Entonces, sugiero que vayamos a verla antes de que nos casemos –dijo besándola con dulzura en los labios–. Me di cuenta de que no era sólo sexo y traté de ignorarlo, pero en lo más hondo de mi corazón sabía que nunca podría dejarte marchar. Cuando aquella mujer me dijo que no eras de fiar, supe que no tenía que creer ni una palabra de aquello.

–La vi hablando contigo.

–Disfrutó con aquellos comentarios hasta que le dije que, si quería recibir una demanda por difamación, la tendría.

–¿Así que por eso…?

–¿Qué?

–Se acercó a mí y me dijo que hacíamos una buena pareja.

–No te merezco –dijo y volvió a besarla, antes de separarse de ella–. Te amo.

–Entonces, ¿por qué te apartas?

–Porque te deseo y sé que estás cansada y hambrienta –dijo Kain y la sonrisa desapareció de sus labios–. En cuanto oí la voz de Frensham, supe que no era de fiar. Nunca más volverá a molestarte, ni irá por ahí contando más mentiras –añadió y acarició su pelo–. Durante el tiempo que hemos estado juntos, cada palabra y cada hecho me han demostrado lo honesta que eres. No me importa lo que diga la señora Popham. Tú eres la prueba de tu inocencia. No merezco que me perdones tan fácilmente, pero tengo que admitir que me alegro. ¿Cuándo te casarás conmigo?

–Tan solo hace unas semanas que nos conocemos. ¿Estás seguro?

–Por supuesto –dijo Kain con aplomo–. Quiero pasar el resto de mi vida contigo.

En aquellos ojos que antes encontraba fríos e inexpresivos, Sara vio su futuro, un amor que nunca moriría.

–Contigo por siempre jamás –dijo ella conteniendo las lágrimas.

Kain acercó la cabeza a la suya y sellaron con un beso la promesa de una feliz vida en común.

Bianca™

¡Una sola noche de placer no sería suficiente!

De adolescente, Natalie, se sintió completamente humillada cuando el rico y refinado Caetano Savas rechazó sus torpes acercamientos... Ahora, repentinamente, se encuentra a sí misma a la entera disposición del brillante abogado. Y está segura de que él, a pesar de su frialdad, nota el frenético latido de su corazón...

¡Así que la explosiva adolescente ha crecido! Caetano aceptará lo que le ofreció unos años antes: una noche que satisfaga su deseo...

Amante por una noche

Anne McAllister

Acepte 2 de nuestras mejores novelas de amor GRATIS

¡Y reciba un regalo sorpresa!

Oferta especial de tiempo limitado

Rellene el cupón y envíelo a
Harlequin Reader Service®
3010 Walden Ave.
P.O. Box 1867
Buffalo, N.Y. 14240-1867

¡Sí! Por favor, envíenme 2 novelas de amor de Harlequin (1 Bianca® y 1 Deseo®) gratis, más el regalo sorpresa. Luego remítanme 4 novelas nuevas todos los meses, las cuales recibiré mucho antes de que aparezcan en librerías, y factúrenme al bajo precio de $3,24 cada una, más $0,25 por envío e impuesto de ventas, si corresponde*. Este es el precio total, y es un ahorro de casi el 20% sobre el precio de portada. !Una oferta excelente! Entiendo que el hecho de aceptar estos libros y el regalo no me obliga en forma alguna a la compra de libros adicionales. Y también que puedo devolver cualquier envío y cancelar en cualquier momento. Aún si decido no comprar ningún otro libro de Harlequin, los 2 libros gratis y el regalo sorpresa son míos para siempre.

416 LBN DU7N

Nombre y apellido	(Por favor, letra de molde)

Dirección	Apartamento No.

Ciudad	Estado	Zona postal

Esta oferta se limita a un pedido por hogar y no está disponible para los subscriptores actuales de Deseo® y Bianca®.
*Los términos y precios quedan sujetos a cambios sin aviso previo.
Impuestos de ventas aplican en N.Y.

SPN-03   ©2003 Harlequin Enterprises Limited

Deseo™

Pasión arrebatadora

CATHERINE MANN

Aparentemente, Bella Hudson tenía el mundo a sus pies pero, en el ámbito privado, su vida era un auténtico desastre: una ruptura humillante, paparazzi persiguiéndola… La estrella de Hollywood necesitaba escapar y encontró lo que buscaba disfrutando de una noche de placer lejos de los focos en la cama del magnate hotelero Sam Garrison.

Sin embargo, eso no era suficiente para él y, con tal de tenerla a su lado, estaba dispuesto a desafiar a los medios que tanto aborrecía. Aunque no quisiera admitirlo, se había enamorado de Bella y no iba a dejarla marchar tan fácilmente…

Huyendo de su ajetreada vida encontró una pasión tumultuosa

¡YA EN TU PUNTO DE VENTA!

De humilde camarera... a esposa de un príncipe

Cathy está acostumbrada a hacer camas, ¡no a meterse en una con un príncipe! Pero el arrogante Xaviero impone una norma: después de que le haya enseñado a Cathy todo lo que sabe, su aventura concluirá.

Cuando el rey de Zaffirinthos enferma, Xaviero se ve a obligado a asumir el rol de príncipe regente. Las voluptuosas curvas de la dócil Cathy siguen asolando sus sueños y decide ofrecer a la humilde doncella un trato muy especial, digno de un príncipe.

*De camarera
a princesa*

Sharon Kendrick